Scholastique Mukasonga

Notre-Dame du Nil

Gallimard

L'auteur remercie le Centre national du livre
pour son soutien à la rédaction de cet ouvrage.

Ce titre a précédemment paru dans la collection
« Continents noirs ».

Notre-Dame du Nil

Il n'y a pas de meilleur lycée que le lycée Notre-Dame-du-Nil. Il n'y en a pas de plus haut non plus. 2 500 mètres, annoncent fièrement les professeurs blancs. 2 493, corrige sœur Lydwine, la professeur de géographie. « On est si près du ciel », murmure la mère supérieure en joignant les mains.

L'année scolaire coïncidant avec la saison des pluies, le lycée est souvent dans les nuages. Parfois, mais rarement, il y a une éclaircie. On aperçoit alors, tout en bas, le grand lac comme une flaque de lumière bleutée.

Le lycée, c'est pour les filles. Les garçons, eux, restent en bas, dans la capitale. C'est pour les filles qu'on a construit le lycée, bien haut, bien loin, pour les éloigner, les protéger du mal, des tentations de la grande ville. C'est que les demoiselles du lycée sont promises à un beau mariage. Il faut qu'elles y parviennent vierges, au moins qu'elles ne tombent pas enceintes avant. Vierges, c'est mieux. Le mariage, c'est du sérieux. Les pensionnaires du lycée sont filles de ministres, de militaires haut gradés, d'hommes d'affaires, de riches commerçants. Le mariage de leurs filles, c'est de la politique. Les demoiselles en sont fières : elles savent ce qu'elles valent. Il est loin le temps où seule comptait la beauté. Pour la dot, leurs familles ne recevront pas que les vaches ou les cruches de bière traditionnelles, il y aura aussi des valises remplies de billets, un compte bien garni à la Belgolaise, à Nairobi, à Bruxelles. Grâce à elles, la famille va s'enrichir, le clan affirmer sa puissance, le lignage étendre son influence. Elles savent ce qu'elles valent les demoiselles du lycée Notre-Dame-du-Nil.

Le lycée est tout proche du Nil. De sa source évidemment. Pour y aller, on emprunte une piste rocailleuse qui suit la ligne des crêtes. La piste aboutit à un terre-plein où stationnent les rares Land Rover des touristes qui s'aventurent jusque-là. Une pancarte indique : « SOURCE DU NIL → 200 m. Un sentier en pente raide mène à un éboulis d'où jaillit entre deux rochers un mince ruisselet. L'eau de la source est d'abord retenue dans un bassin cimenté avant de se déverser par une minuscule cascade dans une rigole incertaine dont on perd vite la trace dans les herbes du versant et sous les fougères arborescentes de la vallée. À droite de la source, on a érigé une pyramide qui porte l'inscription : « Source du Nil. Mission de Cock, 1924 ». Pas bien haute la pyramide : les filles du lycée touchent sans effort la pointe ébréchée, elles disent que cela leur portera bonheur. Mais ce n'est pas pour la pyramide que les lycéennes viennent à la source. Elles n'y vont pas en excursion, elles y vont en pèlerinage. La statue de Notre-Dame du Nil est placée entre les gros rochers qui surplombent la source. Ce n'est pas tout à fait une grotte. On a abrité la statue sous une guérite de tôles. Sur le socle, on a gravé : « NOTRE-DAME DU NIL, 1953 ». C'est Mgr le Vicaire apostolique qui a décidé d'ériger la statue. Le roi avait obtenu du souverain pontife de consacrer le pays au Christ-Roi. L'évêque a voulu consacrer le Nil à la Vierge.

On se souvient encore de la cérémonie d'inauguration. Sœur Kizito, la vieille cuisinière presque impotente, y était. Chaque année, elle en fait le récit aux nouvelles élèves. Oui, c'était une belle cérémonie, comme on en voit à l'église, dans la capitale, à Noël, ou au stade, le jour de la fête nationale.

Le résident s'était fait représenter mais l'administrateur était bien là, entouré d'une escorte de dix soldats. L'un avait un clairon, un autre portait le drapeau belge. Il y avait les chefs et les sous-chefs et ceux des chefferies voisines. Ils étaient accompagnés de leurs femmes et de leurs filles aux hautes coiffures emperlées, de leurs danseurs qui agitaient leurs crinières comme des lions valeureux et surtout de leurs troupeaux de vaches inyambo aux longues cornes que l'on avait décorées de guirlandes de fleurs. La cohue des paysans couvrait la pente. Les Blancs de la capitale ne s'étaient pas risqués sur la mauvaise piste qui conduisait à la source. On ne remarquait que M. de Fontenaille, assis auprès de l'administrateur, le planteur de café venu en voisin. C'était la saison sèche. Le ciel était clair. Sur les sommets, il n'y a pas de poussière.

On attendit longtemps. Enfin on aperçut, sur le sentier de la crête, une ligne noire d'où s'élevait un murmure de prières et de cantiques. Peu à peu, on a distingué : Mgr le Vicaire apostolique qu'on a reconnu à sa mitre et à sa crosse. On aurait dit un des Rois mages comme sur les images qu'on montre au catéchisme. Les missionnaires suivaient : ils étaient coiffés, comme tous les Blancs en ce temps-là, d'un casque colonial, mais ils étaient barbus et portaient de longues robes blanches bardées d'un gros chapelet. La troupe des enfants de la Légion de Marie tapissait la piste de pétales de fleurs jaunes. Puis venait la Vierge. Elle était portée par quatre séminaristes en short et en chemise blanche sur une litière de lattes de bambou tressées sur laquelle on transporte la jeune mariée dans sa nouvelle famille ou les morts vers leur dernière demeure. Mais on ne pouvait pas voir la Madone. Elle était enveloppée dans un voile bleu et blanc. Derrière se bousculait le « clergé indigène » puis, précédée de leur bannière et du drapeau jaune et blanc du pape, s'effilochait la troupe des élèves du catéchisme qui, en dépit des bâtons des moniteurs, s'égaillaient sur les pentes en dehors du sentier.

La procession gagna le vallon d'où jaillissait la source. On déposa le palanquin de la Madone toujours camouflée sous le voile près du ruisselet. L'administrateur vint au-devant de monseigneur et fit le salut militaire. Ils échangèrent quelques mots tandis que le cortège se disposait autour de la source et de la statue qu'on avait hissée sur une petite estrade. Monseigneur et deux missionnaires en gravirent les cinq marches. L'évêque bénit la foule puis, se tournant vers la statue, prononça une oraison en latin à laquelle répondirent les deux prêtres. Alors, sur un signe de l'évêque, l'un des deux acolytes dévoila brusquement la statue. Le clairon sonna, le drapeau s'inclina. Une longue rumeur parcourut la foule. Les cris de joie aigus des femmes emplirent le vallon, les danseurs agitèrent leurs grelots de chevilles. La Vierge qui émergea du voile ressemblait certes à la Vierge de Lourdes comme celle que l'on pouvait voir à l'église de la mission, même voile bleu, même ceinture azur, même robe jaunâtre, mais Notre-Dame du Nil était noire, son visage était noir, ses mains étaient noires, ses pieds étaient noirs, Notre-Dame du Nil était une femme noire, une Africaine, une Rwandaise, pourquoi pas ? « C'est Isis, s'écria M. de Fontenaille, elle est revenue ! »

D'un goupillon énergique, monseigneur le vicaire apostolique bénit la statue, bénit la source, bénit la foule. Il prononça son sermon. On n'a

13

pas tout compris. Il a parlé de la Sainte Vierge qui s'appellerait ici Notre-Dame du Nil. Il a dit : « Les gouttes de cette eau bénite se mêlent aux eaux naissantes du Nil, se mêleront aux flots des autres rivières qui deviendront le Fleuve, traverseront les lacs, traverseront les marais, rouleront dans les chutes, défieront les sables du désert, abreuveront les cellules des anciens moines, parviendront au pied du Sphinx étonné, c'est comme si ces gouttes bénites, par la grâce de Notre-Dame du Nil, allaient baptiser l'Afrique tout entière et c'est elle, l'Afrique devenue chrétienne, qui sauvera ce monde en perdition. Et je vois, oui je vois, ces foules de toutes les nations qui viendront en pèlerinage, qui viendront en pèlerinage dans nos montagnes pour rendre grâce à Notre-Dame du Nil. »

À son tour, le chef Kayitare s'avança devant l'estrade et appela sa vache Rutamu qu'il offrait à la nouvelle reine du Rwanda. Il mêla son éloge à celui de Marie disant qu'elles apporteraient abondance de lait et de miel. Les cris d'allégresse des femmes et les tintements des grelots approuvèrent le don de bon augure.

Quelques jours après, des ouvriers de la mission sont venus construire une plate-forme entre les deux gros rochers, au-dessus de la source. On y a placé la statue et on l'a abritée sous une niche de tôles. C'est bien après, à deux kilomètres de là, qu'on a construit le lycée. Juste à l'indépendance.

L'eau bénite de la source, peut-être que monseigneur espérait qu'elle deviendrait miraculeuse, comme celle de Lourdes. Mais rien n'y a fait. Il n'y a que Kagabo, le guérisseur ou l'empoisonneur, c'est comme on veut, qui en remplit de petites cruches noires en forme de calebasse. Il y trempe des racines aux formes inquiétantes, des mues de serpent réduites en poudre, des touffes de cheveux d'enfants mort-nés, du sang séché des premières menstrues des filles. C'est pour guérir, c'est pour mourir. C'est selon.

Longtemps, des photos de la cérémonie d'inauguration de la statue de Notre-Dame du Nil ornèrent le long couloir qui servait d'antichambre aux visiteurs ou aux parents d'élèves qui avaient demandé audience à la mère supérieure. À présent, il n'en restait plus qu'une : celle où on voyait Mgr le Vicaire apostolique bénissant la statue. Des autres, on ne devinait plus que les empreintes rectangulaires, un peu plus pâles, qu'elles avaient laissées derrière le canapé en bois, raide, sans coussins, sur lequel les malheureuses élèves convoquées par la terrible mère supérieure n'osaient même pas s'asseoir. Les photos toutefois n'avaient pas été détruites. Gloriosa, Modesta et Veronica les avaient retrouvées le jour où elles avaient été chargées de dépoussiérer le local, au bout de la bibliothèque, où on entassait les archives. Là, sous une pile de vieux journaux et de revues (*Kinyamateka, Kurerera Imana, L'Ami, Grands Lacs*, etc.), elles découvrirent les photos, un peu jaunies et gondolées, certaines encore sous leur plaque de verre brisée. Il y avait la photo de l'administrateur faisant le salut militaire devant la statue tandis que, derrière lui, un soldat inclinait le drapeau belge. Il y avait les photos des danseurs intore, un peu floues, car le photographe, malhabile, avait voulu saisir en plein vol leur saut prodigieux si bien que la crinière de sisal et la peau de léopard étaient enveloppées d'un nimbe fantomatique. Et puis il y avait la photo des chefs et de leurs épouses en grand apparat. La plupart de ces hauts personnages étaient barrés d'un gros trait à l'encre rouge et quelques-uns masqués d'un point d'interrogation à l'encre noire.

— Les photos des chefs ont subi la « révolution sociale », dit Gloriosa en riant. Un coup de stylo, un coup de machette, et pffft…, fini les Tutsi.

— Et ceux qui ont un point d'interrogation ? demanda Modesta.

— Ça doit être ceux qui ont réussi à s'enfuir, hélas ! Mais maintenant qu'ils soient à Bujumbura ou à Kampala, les grands chefs, ils ont perdu leurs vaches, ils n'ont plus de fierté, ils boivent de l'eau comme les parias qu'ils sont devenus. Je prends les photos. Mon père saura bien me dire qui sont ces seigneurs de la chicotte.

Veronica se demanda quand, sur la photo de classe que l'on prenait chaque année à la rentrée, elle serait, elle aussi, barrée d'un trait rouge.

Pour les élèves du lycée Notre-Dame-du-Nil, le grand pèlerinage, c'est en mai. Le mois de Marie. C'est une longue et belle journée, la journée du pèlerinage. Le lycée s'y prépare long-temps à l'avance. On prie pour que le ciel soit clément. La mère supérieure et le père Her-ménégilde, l'aumônier, ont décrété une neu-vaine. Toutes les classes sont invitées à se relayer dans la chapelle pour prier la Sainte Vierge : que ce jour-là, elle chasse les nuages ! Après tout, en mai, c'est possible, les pluies s'espacent un peu, la saison sèche approche. Le frère Auxile (c'est lui qui se penche quand il le faut sur les entrailles huileuses du groupe électro-gène et les moteurs des deux camions de ravi-taillement, qui peste en dialecte gantois contre les boys-mécanos ou les chauffeurs, qui joue de l'harmonium et dirige la chorale), le frère Auxile donc, depuis un mois, fait répéter les cantiques qu'il a composés en l'honneur de Notre-Dame du Nil. Les professeurs belges et les trois jeunes coopérants français sont instamment priés de participer à la cérémonie. La mère supérieure a fait discrètement savoir à ces derniers qu'il serait plus respectueux de porter costume et cravate, mieux adaptés à la solennité du jour que ces pantalons de toile grossière qu'ils appellent blue-jeans, et qu'elle comptait sur leur attitude respectueuse pour montrer le bon exemple aux élèves. La sœur intendante, dont on entend tinter le gros trousseau de clés attaché à son ceinturon de cuir, est allée choisir dans la réserve les boîtes de conserve pour le pique-nique : corned-beef, sardines à l'huile, confitures, fromage Kraft. Cela lui a pris une bonne partie de la nuit. Elle a compté au plus juste les casiers de Fanta orange pour les élèves et quelques bouteilles de Primus réservées à l'aumônier, au frère Auxile et au père Angelo, le père de la mission voisine qui a été invité. Pour les sœurs rwandaises, professeurs et surveillantes, elle a réservé une dame-jeanne de vin d'ananas, la spécialité de sœur Kizito qui garde jalousement le secret de la recette.

Bien sûr, ce jour-là, il y a la messe interminable, les cantiques, les prières, les dizaines de chapelet, mais il y a surtout les rires, les fous rires des filles, les courses folles, les galopades, les glissades sur l'herbe du versant. Sœur Angélique et sœur Rita, les surveillantes, s'époumonent dans leur sifflet et crient : « Attention, il y a le ravin ! »

On étend des nattes pour le pique-nique. Ce n'est pas comme au réfectoire, c'est un peu la pagaille, on s'assoit comme on veut, on s'accroupit, on s'allonge, on se barbouille de confiture. Les surveillantes, impuissantes, lèvent les bras au ciel. La mère supérieure, la sœur Gertrude, l'adjointe rwandaise à la supérieure, la sœur intendante, le père Herménégilde, le père Angelo sont assis sur des pliants. Les professeurs, eux aussi, ont droit à des sièges, mais les professeurs français ont préféré s'installer sur l'herbe. C'est sœur Rita qui sert la bière aux messieurs : il n'y a qu'une Rwandaise pour connaître les bonnes manières. Évidemment, la mère supérieure refuse la Primus qu'on lui offre, la sœur intendante se résigne à faire de même. Elle se contentera du vin d'ananas de sœur Kizito.

Rares sont les pèlerins à se joindre aux lycéennes. La mère supérieure entend éloigner les importuns qu'attirerait, sous prétexte de dévotion, le spectacle de tant de jeunes filles rassemblées. À sa demande, le bourgmestre de la commune de Nyaminombe dont dépend le lycée a fait interdire l'accès à la source. Même madame l'épouse du ministre qui a convié quelques amies à profiter de sa Mercedes pour admirer la piété de leurs filles a bien du mal à convaincre le policier de lever la barrière. Mais il y a un visiteur que la mère supérieure ne peut éconduire, c'est M. de Fontenaille, le planteur de café. Les filles en ont un peu peur. On dit qu'il vit seul dans sa grande villa délabrée. La plupart de ses caféières sont laissées à l'abandon. On ne sait si c'est un fou ou un sorcier blanc. Il fait creuser la terre pour chercher des ossements ou des crânes. Sa vieille jeep ignore les pistes, elle cahote et ferraille sur les pentes de la montagne. Il surgit toujours au milieu du pique-nique. Il salue la mère supérieure en ôtant son chapeau de broussard d'un geste théâtral, découvrant son crâne rasé : « Je dépose à vos pieds mes hommages, ma Révérende Mère. » Celle-ci a bien du mal à cacher son irritation : « Monsieur de Fontenaille, bonjour, vous n'étiez pas attendu, ne venez pas troubler notre pèlerinage. — Je viens comme vous honorer la Mère du Nil », répond-il en tournant le dos. Il fait lentement le tour de chaque natte sur laquelle déjeunent les lycéennes, s'arrête parfois devant l'une d'elles, réajuste machinalement ses lunettes, la dévisage en hochant la tête d'un air satisfait, esquisse son profil sur un petit carnet. Sous son regard intense, la jeune fille distinguée baisse la tête — ainsi le veut d'ailleurs la politesse — mais quelques-unes ne peuvent s'empêcher de lui adresser furtivement un gracieux sourire. La mère supérieure, qui n'ose intervenir de peur de provoquer un scandale encore plus grand, suit avec appréhension le manège du vieux planteur. Enfin, celui-ci se dirige vers le petit bassin où est retenue l'eau de la source, il jette, dans la première eau du Nil, quelques pétales d'un rouge vif qu'il a tirés de l'une des nombreuses poches de sa veste, puis il lève trois fois les bras vers le ciel, les mains ouvertes, les bras écartés, en prononçant quelques mots incompréhensibles. Dès que M. de Fontenaille a regagné le parking et qu'on entend hoqueter le moteur de la jeep, la mère supérieure se lève et ordonne : « Mes filles, chantons un cantique. » Les lycéennes le reprennent en chœur tandis que quelques-unes regardent se dissiper à regret le nuage de poussière soulevé par la jeep.

Au retour, Veronica ouvre son livre de géographie. Ce n'est pas facile de suivre le cours du

Nil. D'abord il n'a pas de nom puis il porte trop de noms. On dirait qu'il sort de partout. Il se cache dans un lac, il en ressort, il est Blanc, il s'embrouille dans les marais, d'un autre côté, il y a son frère qui est Bleu, à la fin, c'est facile, il file droit, de chaque côté, c'est le désert, il lèche le pied des pyramides, les grandes celles-là, après il s'éparpille, il s'emmêle, c'est le delta et tout cela finit dans la mer qui, à ce qu'on dit, est bien plus grande que le Lac.

Veronica se rend compte qu'il y a quelqu'un, dans son dos, qui se penche en même temps qu'elle sur la page du manuel.

— Alors, Veronica, tu cherches la route pour retourner chez toi, là d'où les tiens sont venus. Ne t'en fais pas, je prierai Notre-Dame du Nil pour que les crocodiles t'y portent sur leur dos ou plutôt dans leur ventre.

Pour Veronica, le rire de Gloriosa ne s'arrê-tera plus jamais, jusque dans ses cauchemars.

La rentrée

Il a fière allure le lycée Notre-Dame-du-Nil. Depuis la capitale, la piste qui y mène se faufile interminablement dans le labyrinthe des vallées et des collines, et puis, pour finir, quand on s'y attend le moins, elle escalade en quelques lacets l'Ikibira (les montagnes que les livres de géographie nomment, faute de mieux, la chaîne Congo-Nil) et c'est alors que l'on découvre le grand bâtiment du lycée : on dirait que les sommets se sont écartés pour lui faire une place, là-bas, au bord de l'autre versant, celui au fond duquel on aperçoit le lac scintillant. Tout là-haut, sur la montagne, il brille, pour les petites écolières, comme un palais illuminé de leurs rêves inaccessibles.

La construction du lycée fut un spectacle qu'on n'est pas près d'oublier à Nyaminombe. Pour n'en rien manquer, les hommes toujours oisifs délaissaient les cruches de bière du cabaret, les femmes quittaient plus tôt leur champ de petits pois et d'éleusine, au battement de tambour qui annonçait la fin de la classe, les enfants de l'école de la mission couraient et bousculaient la petite foule qui regardait et commentait les travaux pour être au premier rang. Les plus hardis avaient d'ailleurs déserté l'école pour guetter le long de la piste le nuage de poussière qui annonçait l'arrivée des camions. Dès que le convoi parvenait à leur hauteur, ils couraient derrière les véhicules et tentaient de s'y agripper. Certains y réussissaient, d'autres retombaient sur la piste manquant de peu de se faire écraser par le camion suivant. Les chauffeurs hurlaient en vain pour essayer de chasser l'essaim des imprudents. Quelques-uns stoppaient leur véhicule, en descendaient, les écoliers prenaient la fuite, le chauffeur faisait mine de courir après, mais, dès que le camion redémarrait, le jeu recommençait. Dans les champs, les femmes levaient leur houe vers le ciel en signe d'impuissance et de désespoir.

Tous étaient bien étonnés de ne pas voir les pyramides fumantes des briques en train de cuire, le défilé des paysans portant les briques sur la tête comme cela se faisait quand l'umupadri demandait aux fidèles de construire une nouvelle succursale ou quand le bourgmestre convoquait la population, le samedi, aux travaux communautaires, pour agrandir le dispensaire ou sa maison. Non, là, à Nyaminombe, c'était un vrai chantier de Blancs, un vrai chantier de vrais Blancs, avec des engins terribles pourvus de mâchoires de fer qui défonçaient et creusaient la terre, avec des camions qui portaient des machines qui faisaient un bruit infernal et crachaient du ciment, des capitas qui hurlaient aux maçons des ordres en swahili et même des Blancs, des capitas-commandants qui ne faisaient rien que de regarder de grandes feuilles de papier qu'ils déroulaient comme les coupons de tissu chez le Pakistanais et qui devenaient fous de rage, comme s'ils crachaient du feu, quand ils appelaient près d'eux les petits capitas noirs.

Dans la légende du chantier, ce que l'on a retenu, ce que l'on raconte encore, c'est l'histoire de Gakere. L'affaire Gakere. Cela fait toujours rire. À la fin de chaque mois, c'était jour de paye à Nyaminombe. Le 30, un jour périlleux. Périlleux pour les comptables exposés aux réclamations le plus souvent violentes des salariés. Périlleux pour les journaliers qui savaient que, ce jour-là, le 30, le seul jour dont elle connaissait la date, leur femme n'était pas au champ mais les attendait sur le seuil de la case pour recueillir les billets que leur tendait leur époux, vérifier le compte, attacher la maigre liasse avec une ficelle de bananier, la glisser dans une petite cruche qu'elle dissimulerait sous la paille au chevet du lit. Le 30, c'était le jour de toutes les querelles, de toutes les violences.

On installait des tables sous des bâches ou des abris de paille et de bambous. C'était pour le comptable. Gakere était comptable. C'est lui qui payait les journaliers. C'était un ancien sous-chef de Nyaminombe qui avait été « épuré » comme tant d'autres par les autorités coloniales pour être remplacé par un sous-chef, bientôt bourgmestre, désormais hutu. On l'avait recruté parce qu'il connaissait tout le monde, tous ceux qu'on avait recrutés sur place et qui ne parlaient pas swahili. Pour les autres, les vrais maçons, qui étaient d'ailleurs, qui parlaient swahili, les comptables venaient de la capitale. Tout ce monde faisait la queue devant les tables des comptables, sous le soleil, sous la pluie le plus souvent. Il y avait toujours des cris, des bousculades, des contestations, des protestations, des récriminations. Les gros bras qui gardaient le chantier rétablissaient l'ordre, calmaient les récalcitrants à coups de bâton, le bourgmestre et ses deux gendarmes ne voulaient pas s'en mêler, les Blancs non plus. Donc Gakere prenait place sous son abri, avec sa petite caisse sous le bras. Il s'asseyait sur la chaise, déposait la petite caisse sur la table, l'ouvrait. Elle était pleine de billets. Il dépliait lentement la feuille où était inscrite la liste des noms de ceux qu'il allait payer, qui attendaient depuis des heures, sous le soleil ou sous la pluie. Il commençait l'appel : Bizimana, Habineza… Le journalier s'avançait jusqu'à la table. Gakere déposait devant lui le peu de billets et de pièces qui lui revenaient. Le journalier appliquait un doigt noirci d'encre face à son nom et Gakere traçait une croix en lui adressant

quelques mots. Toute une journée, Gakere redevenait le chef qu'il avait été.

Mais un jour, on n'a pas vu venir Gakere et sa
petite caisse sous le bras. On a vite appris qu'il
s'était enfui avec la petite caisse pleine de billets.
On a dit : il est parti au Burundi, c'est un malin
Gakere, il est parti avec l'argent des Bazungu,
mais est-ce qu'on va être payés maintenant ? On
admirait Gakere et on lui en voulait : il n'aurait
pas dû prendre l'argent destiné aux gens de Nyaminombe, il aurait pu s'arranger pour prendre
l'argent d'une autre caisse. Les journaliers ont
fini par être payés quand même. Personne n'en
a plus voulu à Gakere et on n'en a plus entendu
parler pendant deux mois. Il avait abandonné sa
femme et ses deux filles. Le bourgmestre les
avait interrogées, les gendarmes les surveillaient.
Mais Gakere ne les avait pas mises au courant de
ses projets malhonnêtes : le bruit courait qu'avec
son argent il comptait prendre une nouvelle
femme, plus jeune et plus belle, au Burundi. Et
puis il est revenu à Nyaminombe, les mains atta-
chées derrière le dos, entre deux militaires. Il
n'avait jamais atteint le Burundi. Il avait eu peur
de passer par la forêt de Nyungwe, à cause des
léopards, des grands singes et même des éléphants dans la forêt qui n'existent plus depuis
longtemps. Il avait traversé tout le pays, la petite
caisse sous le bras. Au Bugesera, il avait essayé de
franchir les grands marais, il s'était perdu, le
Burundi était tout près mais il avait tourné en
rond dans les papyrus sans jamais atteindre la

frontière. Il est vrai qu'il n'y avait rien pour indiquer la frontière. On avait fini par le retrouver, au bord du marais, épuisé, maigre mais les jambes gonflées. Les billets n'étaient plus qu'une masse spongieuse qui flottait dans sa petite caisse remplie d'eau. Pour l'exemple, on l'a attaché toute une journée à un poteau à l'entrée du chantier. Les ouvriers qui passaient devant lui ne l'injuriaient pas, ne crachaient pas sur lui, ils baissaient la tête, faisaient semblant de ne pas le voir. Sa femme et ses deux filles étaient assises à ses pieds. De temps à autre, l'une d'elles se levait pour lui essuyer le visage et lui donner à boire. On l'a jugé, il n'est pas resté longtemps en prison. On ne l'a plus revu à Nyaminombe. Peut-être qu'il a fini par aller au Burundi avec sa femme et ses deux filles, mais sans sa petite valise. Certains ont pensé que les Bazungu avaient jeté un sort sur les billets, que ces billets maudits avaient fait tourner en rond le pauvre Gakere et que c'était pour cela qu'il n'avait jamais pu atteindre le Burundi.

Le lycée, c'est un grand bâtiment de quatre étages, plus haut que les ministères dans la capitale. Les nouvelles, au début, celles qui viennent de la campagne, n'osent pas s'approcher des fenêtres du dortoir, au quatrième étage. « Est-ce qu'on va dormir perchées comme des petits singes ? » disent-elles. Les anciennes et celles de la ville se moquent d'elles, elles les poussent vers les fenêtres : « Regarde tout en bas, disent-elles, tu vas tomber dans le lac. » Les nouvelles finissent quand même par s'y habituer. La chapelle, presque aussi grande que l'église de la mission, est elle aussi en ciment, mais le gymnase, l'économat et les ateliers et le garage où règne à hauts cris le frère Auxile sont en brique. Ils forment une grande cour que ferme un mur avec un portail en fer qui grince, quand on le ferme le soir ou qu'on l'ouvre le matin, plus fort que la sonnerie du coucher ou du réveil.

Un peu à l'écart, il y a des petites maisons sans étages qu'on appelle, comme on veut, villas ou bungalows, c'est là que logent les professeurs coopérants. Il y a aussi une maison plus grande que les autres, celle-là on l'appelle toujours le Bungalow, elle est réservée aux hôtes de marque, à monsieur le ministre s'il en venait un, à monseigneur dont on attend chaque année la visite. On y héberge quelquefois des touristes venus de la capitale ou d'Europe pour la source du Nil. Entre ces maisons et le lycée, il y a un jardin avec des pelouses, des parterres de fleurs, des bosquets de bambous et surtout un jardin potager. Les boys-jardiniers y cultivent des choux, des carottes, des pommes de terre, des fraises, il y a même un carré de blé. Les tomates qu'on y récolte écrasent de leur grosseur arrogante les inyanya, les pauvres petites tomates indigènes. La sœur intendante aime à faire visiter à ses hôtes le verger exotique où les abricotiers et les pêchers immigrés souffrent manifestement de la nostalgie de leur climat d'origine. La mère supérieure répète qu'il faut que les élèves s'habituent à des nourritures civilisées.

On a construit un haut mur de brique pour décourager les importuns et les voleurs. Et, la nuit, les gardiens armés de leur lance font la ronde et veillent au portail de fer.

Les habitants de Nyaminombe ont fini par ne plus faire attention au lycée. Pour eux, c'est comme les gros rochers de Rutare qui semblent avoir roulé sur la pente de la montagne et qui se sont arrêtés là, on ne sait pas pourquoi, à cet endroit, à Rutare. Pourtant le chantier du lycée a changé bien des choses dans la commune. Très vite, des échoppes s'étaient installées autour du campement des maçons : des commerçants qui étaient jusque-là près de la mission et d'autres qui étaient venus d'on ne sait où, des boutiques où l'on vendait comme dans toutes les boutiques des cigarettes à l'unité, de l'huile de palme, du riz, du sel, du fromage Kraft, de la margarine, du pétrole pour les lampes, de la bière de banane, de la Primus, des Fantas et même quelquefois, pas souvent, du pain…, des cabarets qu'on appelait Hôtels où on mangeait des brochettes de chèvre avec des bananes grillées et des haricots, des cases pour les femmes libres au grand déshonneur du village. Quand le chantier a été terminé, la plupart des commerçants sont partis, toutes les femmes libres sont parties, mais il est resté trois cabarets, deux boutiques, un tailleur :

cela a fait un nouveau village au bord de la piste qui mène au lycée. Même le marché qui s'était déplacé près des cabanes des ouvriers est resté, au bout des boutiques.

Il y avait une journée pourtant qui attirait encore curieux et désœuvrés de Nyaminombe devant le lycée Notre-Dame-du-Nil. C'était le dimanche après-midi de la rentrée, en octobre, à la fin de la saison sèche. On se pressait sur les bas-côtés de la piste pour admirer le défilé des voitures qui conduisaient les élèves au lycée. Il y avait les Mercedes, les Range Rover, les grosses jeeps militaires dont les chauffeurs s'énervaient, klaxonnaient, faisaient de grands gestes menaçants en tentant de doubler les taxis, les camionnettes, les minibus surchargés de jeunes filles qui peinaient à gravir la dernière pente.

Une à une, les lycéennes débarquaient devant la petite foule qui était tenue à distance des grilles de l'entrée par les deux gendarmes communaux et le bourgmestre en personne. Une rumeur avait parcouru les spectateurs quand Gloriosa, précédée par sa mère et suivie de Modesta, était descendue de la Mercedes noire aux vitres teintées. « C'est le portrait tout craché de son père, avait commenté le bourgmestre qui avait rencontré le grand homme lors d'un meeting du parti, elle porte bien le nom que lui a donné son père, Nyiramasuka, Celle-de-la-houe », et il avait répété sa remarque assez haut pour que les militants qui l'entouraient l'entendent et répandent autour d'eux une houle d'admiration. Gloriosa, par sa carrure imposante, ressemblait certes à son père : ses camarades, à voix basse, la surnommaient Mastodonte. Elle portait une jupe bleu marine qui découvrait à peine ses mollets musculeux et un corsage blanc boutonné jusqu'au cou que gonflait une généreuse poitrine. De grosses lunettes rondes attestaient l'autorité incontestable qui émanait de son regard. Le père Herménégilde abandonna les petites nouvelles qui entraient en seconde et qu'il s'était chargé de rassembler et de rassurer pour faire signe à deux boys du lycée de prendre les valises que portait le chauffeur en retrousson à boutons dorés, se précipita vers les nouvelles arrivantes et, devançant la sœur Gertrude chargée de l'accueil, salua la mère et la fille des étreintes coutumières et s'embrouilla dans les innombrables formules de bienvenue qu'offre la politesse rwandaise. Il fut vite interrompu par la mère de Gloriosa disant qu'elle devait aller saluer la mère supérieure puis repartir au plus vite pour la capitale où l'attendait un dîner chez l'ambassadeur de Belgique, elle était assurée que sa fille recevait au lycée Notre-Dame-du-Nil l'éducation démocratique et chrétienne qui convenait à l'élite féminine d'un pays qui avait fait la révolution sociale qui l'avait débarrassé des injustices féodales.

Gloriosa déclara qu'elle resterait à la grille, aux côtés de sœur Gertrude, sous le drapeau de la République, pour accueillir ses camarades de dernière année et leur annoncer qu'une première réunion du comité qu'elle présidait se tiendrait le lendemain, au réfectoire, après l'étude. Modesta dit qu'elle se tiendrait en faction auprès de son amie.

Peu après, Goretti fit, elle aussi, une arrivée remarquée. Elle était juchée à l'arrière d'un énorme véhicule militaire dont les six gros pneus crénelés impressionnèrent les spectateurs. Deux soldats en tenue camouflée l'aidèrent à en descendre, appelèrent les boys pour les bagages et prirent congé de leur passagère en faisant le salut militaire. Goretti écarta autant qu'elle le put les effusions de Gloriosa :

— Tu te prends toujours pour la ministre, lui souffla-t-elle.

— Et toi pour le chef d'état-major, répliqua Gloriosa, mais dépêche-toi de franchir le portail, au lycée on ne parle que français, on pourra enfin comprendre ce que disent les gens de Ruhengeri.

Comme la Peugeot 404 amorçait la dernière montée avant le lycée, Godelive reconnut, enveloppée dans un pagne, Immaculée, à pied, suivie d'un petit garçon loqueteux qui portait la valise sur la tête. Elle fit aussitôt arrêter la voiture :

— Immaculée ! Qu'est-ce qui t'est arrivé ? Monte vite. La voiture de ton père est tombée en panne ? Tu n'es pas venue comme cela de la capitale.

Immaculée ôta son pagne et s'installa aux côtés de Godelive tandis que le chauffeur plaçait la valise dans le coffre. Le petit porteur frappa à la vitre de la portière pour réclamer son dû. Immaculée lui lança une piécette.

— Ne le répète à personne. C'est mon petit ami qui m'a amenée sur sa moto. Tu sais, il a une grosse moto. Il n'y a pas de plus grosse moto que la sienne dans Kigali, et peut-être dans tout le Rwanda. Il en est fier. Et moi, je suis fière d'être la petite amie du garçon qui a la plus grosse moto du pays. Je monte derrière et il fonce à toute allure dans les rues. La moto rugit comme un lion. C'est la panique. Tout le monde prend les jambes à son cou. Les femmes renversent leurs paniers et leurs cruches. Cela fait rire mon petit ami. Il m'a promis qu'il m'apprendrait à conduire sa moto. J'irai encore plus vite que lui. Donc il m'a dit : « Je vais te conduire jusqu'au lycée sur ma moto. » J'ai dit oui. J'avais un peu peur quand même mais je trouvais cela excitant. Mon père était en voyage d'affaires à Bruxelles. J'ai dit à ma mère que je partais avec une copine. Il m'a laissée, comme je le lui avais demandé, dans le dernier virage. Si la mère supérieure m'avait vue arriver sur la moto, tu imagines le scandale ! On allait me renvoyer. Mais regarde maintenant dans quel état je suis. Je suis rouge de poussière. C'est horrible ! On va penser que mon père n'a plus de voiture, que je suis venue en Toyota, entre les chèvres et les régimes de bananes, en compagnie des paysannes qui portent encore leurs enfants au dos. Quelle honte !

— Tu vas prendre une douche et je suis sûre que dans ta valise il y a assez de produits pour te refaire une beauté.

— Tu as raison, j'ai réussi à trouver des crèmes pour éclaircir la peau, pas des Vénus de Milo comme au marché, des crèmes américaines, des tubes de Cold Cream, des savons verts anti-septiques, c'est ma cousine qui me les a envoyés de Bruxelles, de Matonge. Je t'en donnerai un tube.

— Qu'est-ce que j'en ferai ? Il y en a qui sont belles ou qui le croient et d'autres pas.

— Tu as l'air toute triste, tu n'es pas contente de revenir au lycée ?

— Pourquoi je serais contente de revenir au lycée ? J'ai toujours les plus mauvaises notes, les professeurs ont pitié de moi mais pas vous autres, mes chères camarades. C'est mon père qui veut que je continue quand même. Avec le diplôme, il espère me marier à un banquier comme lui. Mais il a sans doute aussi un autre projet.

— Courage, Godelive, c'est la dernière année et après tu épouseras un gros banquier.

— Ne te moque pas de moi, je vous réserve peut-être une surprise, une grande surprise !

— Je peux connaître la surprise ?

— Bien sûr que non, puisque ce sera une surprise.

Gloriosa accueillit Godelive et Immaculée avec

dédain. Elle jeta un regard de mépris sur le pantalon moulant et le chemisier au décolleté profond d'Immaculée. Elle se demanda pourquoi elle était couverte de poussière mais elle renonça à l'interroger pour l'instant. Elle ne prêta aucune attention à Godelive.

— Je compte sur vous pour être de vraies militantes, leur glissa-t-elle à voix basse, pas comme vous l'avez fait l'année dernière. La coquetterie et un papa banquier, ce n'est pas suffisant pour notre République.

Immaculée et Godelive firent semblant de n'avoir rien entendu.

Guidé par le père Herménégilde, le timide troupeau des nouvelles franchit le portail sous le regard scrutateur de Gloriosa :

— As-tu bien vu, Modesta, soupira-t-elle, au ministère, l'ancien régime a encore de beaux restes. On est souple avec le quota. Si j'ai bien compté, et j'ai compté seulement celles que je connais, celles dont je suis sûre, on est bien au-delà du pourcentage qu'on leur a malheureusement accordé. C'est une nouvelle invasion ! À quoi aura servi la révolution sociale de nos parents si on laisse faire ? Je vais signaler cela à mon père. Mais je crois aussi qu'il faudra régler cela nous-mêmes, et, cette fois, en finir avec ces parasites. J'en ai parlé au Bureau de la Jeunesse militante rwandaise, ils sont de mon avis. On m'y écoute. Ce n'est pas pour rien que mon père m'a appelée Nyiramasuka.

Depuis que le lycée avait ouvert ses portes, on n'avait jamais vu à Nyaminombe une voiture comme celle dans laquelle était arrivée Frida. C'était une voiture basse, très longue, d'un rouge vif, avec une capote qui, on l'avait vu, pouvait se plier et se déplier sans que personne n'y touche. Elle n'avait que deux places. Le chauffeur et le passager étaient allongés dans des fauteuils presque comme dans un lit. Elle faisait un bruit de tonnerre, bondissait en soulevant derrière elle un tourbillon rouge. On crut un instant qu'elle allait défoncer le portail, renverser sœur Gertrude, Gloriosa et Modesta, mais elle stoppa net juste au pied du mât du drapeau dans un crissement d'enfer.

Un homme assez âgé, en costume trois pièces, au gilet fleuri, aux grosses lunettes noires à monture à reflets dorés, à la ceinture et aux chaussures en crocodile, en descendit, alla ouvrir la portière du côté de Frida, aida celle-ci à s'extirper du fauteuil sur lequel elle était à demi enfoncée. Frida défroissa sa robe qui se déploya, ample comme un parapluie, d'un rouge aussi vif que celui de la voiture. Sous un petit foulard de soie pourpre, on devinait ses cheveux brutalement défrisés, raides, empesés, qui miroitaient au soleil comme l'asphalte dont on avait récemment recouvert quelques rues de Kigali.

Ignorant Gloriosa et Modesta, le conducteur du bolide s'adressa en swahili à sœur Gertrude :

— Je suis Son Excellence Jean-Baptiste Balimba,

ambassadeur du Zaïre. J'ai rendez-vous avec la mère supérieure. Conduisez-moi immédiatement à elle.

Sœur Gertrude, choquée qu'on puisse lui parler sur ce ton et, pire encore, en swahili, hésita un instant, mais, voyant que l'homme paraissait de toute façon décidé à forcer le passage et à franchir le portail sans autre permission, se résigna à le précéder.

— Attends-moi dans le hall, dit-il à Frida, je vais régler tout ça, je n'en aurai pas pour longtemps.

Gloriosa s'était ostensiblement éloignée du portail et était allée au-devant des neuf élèves de dernière année qui venaient de descendre d'un minibus.

— Voilà notre quota, dit-elle en voyant arriver une camionnette qui semblait s'affaisser sous le poids d'une pyramide branlante de fûts et de cartons mal arrimés. Tu vois, Modesta, rien n'empêchera jamais les Tutsi de faire du trafic : même quand ils conduisent leurs filles pour la rentrée, il faut que ça leur rapporte. On livre des marchandises à la boutique de Nyaminombe et qui tient la boutique ? C'est un Tutsi bien sûr, un vague parent, à ce qu'il paraît, du père de Veronica qui, lui, fait du commerce à Kigali. Ah, celle-là, Veronica, qui se croit la plus belle, elle finira par se vendre elle-même. Et Virginia, sa copine, parce qu'elle est la chouchoute de tous les profs blancs, elle se prend pour la plus intelligente. Tu sais comment elle s'appelle : Mutamuriza, Ne-la-faites-pas- pleurer ! Je saurai bien faire mentir son nom. C'est cela le quota : vingt élèves, deux Tutsi et, à cause de cela, j'ai des amies, des vraies Rwandaises du peuple majoritaire, du peuple de la houe, qui n'ont pas eu de places en secondaire. Comme mon père le répète, il faudra bien nous débarrasser un jour de ces quotas, c'est une histoire de Belges !

Modesta avait accompagné la diatribe de Gloriosa de toussotements approbateurs mais, alors que Gloriosa prodiguait aux deux Tutsi des enlacements de politesse trop appuyés, elle se tint à l'écart.

— Les embrassades, dit Gloriosa quand Veronica et Virginia se furent éloignées, c'est pour mieux étouffer les serpents mais, toi, Modesta, tu as peur qu'on te confonde avec tes demi-sœurs, c'est vrai que tu leur ressembles et pourtant il faut que je te supporte à mes côtés.

— Tu sais bien que je suis ton amie.

— Il vaut mieux pour toi que tu restes toujours mon amie, dit Gloriosa en riant haut et fort.

Au coucher du soleil, la sonnerie de la cloche et le grincement du portail qui se fermait annoncèrent solennellement le début de l'année scolaire. Déjà, les surveillantes avaient conduit les lycéennes dans leurs différents dortoirs. Les élèves de la classe terminale avaient droit à quelques privilèges. Ainsi leur dortoir était divisé en alcôves pour garantir à chacune une certaine intimité.

Intimité toute relative qui n'était protégée du couloir où la surveillante faisait ses rondes que par un léger rideau vert que la sœur pouvait ouvrir à tout moment. D'ailleurs, ce cloisonnement des lits, qu'on appelait les « chambres », même s'il était présenté par la mère supérieure comme un exemple du progrès et de l'émancipation auxquels les lycéennes accédaient grâce à l'éducation dispensée par le lycée Notre-Dame-du-Nil, n'était pas apprécié par toutes. Il n'était plus possible de chuchoter des bavardages entre voisines jusqu'à tomber de sommeil et surtout une fille pouvait-elle dormir seule ? À la maison, les mères veillaient à ce que les petites partagent le lit ou la natte avec les grandes. Est-on vraiment des sœurs si on ne s'endort pas serrées les unes contre les autres et peut-on être des amies sincères si l'on ne se fait pas des confidences sur une natte commune ? Les lycéennes avaient bien du mal à s'endormir dans la solitude de l'alcôve. Elles guettaient derrière la cloison la respiration de leurs voisines et cela les rassurait un peu. Au dortoir des secondes, sœur Gertrude insista sur le fait que les pensionnaires ne devaient pas rapprocher leurs lits : « Ici, dit-elle, on est au lycée, pas à la maison. On dort seule, chacune dans son lit, comme des civilisées. »

On demanda aux lycéennes de mettre leur uniforme et d'aller en rang par deux à la chapelle, où la Mère supérieure et le père Herménégilde leur adresseraient un mot d'accueil. Elles prirent place sur les bancs de la chapelle, celles qui n'avaient pas encore d'uniforme ou l'avaient oublié furent reléguées sur les derniers bancs du fond.

La mère supérieure et le père Herménégilde surgirent de derrière l'autel, firent une génuflexion devant le tabernacle et se tournèrent vers les élèves. Ils restèrent un long moment silencieux. Le père Herménégilde dévisageait d'un sourire paternel les petites nouvelles qu'on avait mises au premier rang.

La mère supérieure prit enfin la parole. Elle souhaita la bienvenue à toutes les élèves et particulièrement à celles qui entraient pour la première fois au lycée. Elle rappela que le lycée Notre-Dame-du-Nil était destiné à former l'élite féminine du pays, que celles qui avaient la chance d'être là, devant elle, devaient devenir des modèles pour toutes les femmes du Rwanda : non seulement de bonnes épouses, de bonnes mères, mais aussi de bonnes citoyennes et de bonnes chrétiennes, l'un n'allant pas sans l'autre. Les femmes avaient aussi à jouer un grand rôle dans l'émancipation du peuple rwandais. Et c'étaient elles, les élèves du lycée Notre-Dame-du-Nil, qui avaient été choisies pour être l'avant-garde de la promotion féminine. Mais en attendant de devenir les moteurs du progrès, rappela-t-elle avec force aux lycéennes, il leur fallait obéir à la lettre au règlement du lycée, le moindre manquement étant sévèrement puni. Elle voulait insister sur un point. Franchi le portail du lycée, la seule langue autorisée était le français, sauf évidemment pendant les cours de kinyarwanda, mais seulement pendant le cours et il ne devait pas en sortir. Aux côtés de leurs maris qui occuperaient de hautes fonctions (et d'ailleurs pourquoi elles-mêmes n'en occuperaient-elles pas quelques-unes ?), ce serait le français, la langue qu'elles devraient le plus souvent utiliser. Et surtout, il fallait proscrire, dans un lycée placé sous le vocable de la Vierge Marie, tout mot de swahili, une langue déplorable qui était celle des sectateurs de Mahomet. Elle souhaitait à toutes une bonne et studieuse année et appelait sur elles la bénédiction de Notre-Dame du Nil.

Le père Herménégilde fit un long discours un peu confus d'où il ressortait que le peuple de la houe qui avait défriché les immenses forêts jusque-là impénétrables qui recouvraient le Rwanda s'était enfin libéré de neuf cents ans de domination hamite. Lui-même, alors humble prêtre du clergé indigène, avait contribué, bien modestement sans doute, mais il pouvait ce soir en faire la confidence, à la révolution sociale qui avait aboli le servage et les corvées. S'il ne faisait pas partie des signataires du Manifeste des Bahutu de 1957, il en était, et cela sans se vanter, l'un des principaux inspirateurs : les idées, les revendications qu'on y exposait, c'étaient les siennes. Aussi il appelait toutes ces belles jeunes filles pleines de promesses qui l'écoutaient et qui deviendraient un jour de grandes dames à se souvenir toujours de la race à laquelle elles appartenaient, race qui était la race majoritaire et seule autochtone et...

La mère supérieure, un peu effrayée par un tel flot d'éloquence, interrompit du regard l'orateur :

— ... Et... et maintenant, dit le père Herménégilde en bredouillant, je vais vous donner ma bénédiction et appeler sur vous la protection de Notre-Dame du Nil qui veille sur nous si près de notre lycée à la naissance du grand fleuve.

Des travaux et des jours

La semaine de la rentrée était presque toujours celle de l'arrivée de la pluie. Si elle tardait à venir, le père Herménégilde demandait aux lycéennes d'aller, le dimanche, après la messe, offrir un bouquet de fleurs à Notre-Dame du Nil. Les élèves cueillaient les fleurs sous la surveillance inquiète de la sœur intendante qui craignait de voir dévaster ses parterres, puis elles allaient déposer la gerbe au pied de la statue, devant la source qui ne tarissait jamais. La plupart du temps, il n'était pas besoin de ce pèlerinage. Un coup de tonnerre dont le grondement roulait à n'en plus finir dans la vallée jusqu'au lac donnait le signal de la saison pluvieuse. Le ciel, plus noir que le cul d'une vieille marmite, déversait ses cataractes que les enfants de Nyaminombe célébraient joyeusement par leurs cris et leurs danses.

Pour les terminales, les jours du lycée n'avaient plus de mystère. Elles ne sursautaient plus aux

bruits qui chaque matin les réveillaient : le grincement du portail qui s'ouvre, la sonnerie de la
cloche, les sifflets des surveillantes qui parcou-
raient les dortoirs et houspillaient celles qui tar-
daient à quitter leur lit. Godelive était toujours
la dernière à se lever, pleurnichant qu'elle ne
voulait plus rester au lycée, qu'elle n'était pas
faite pour les études. Modesta et Immaculée
l'encourageaient, lui répétaient que les vacances
de Noël approchaient, que c'était sa dernière
année, et finissaient par la tirer de force hors de
son lit. Vite, il fallait ôter sa chemise de nuit,
s'enrouler dans l'une des deux grandes serviettes
blanches que la sœur intendante avait distri-
buées à la rentrée, la nouer sous une aisselle,
courir vers la salle d'eau et se bousculer pour
atteindre l'un des robinets (la douche, c'était
pour le soir). Grâce à sa stature, Gloriosa était la
première à se pencher vers l'eau qui en jaillissait : de toute façon, il fallait lui céder la place.
Après la toilette, il restait peu de temps pour
passer la robe bleue de l'uniforme et se rendre
au réfectoire où les attendaient le bol de por-
ridge et le thé que Virginia avalait les yeux fermés
en s'efforçant de penser au délicieux ikivuguto,
le lait battu que sa mère lui préparait chaque
matin pendant les vacances.

Elle éloignait d'elle la petite tasse remplie de
sucre en poudre que les autres se disputaient
âprement, même si certaines en avaient des provisions dont elles remplissaient à moitié leur
tasse jusqu'à en faire une bouillie sucrée. Pour

Virginia, le sucre avait un horrible goût d'amertume. Le sucre était rare dans les collines. Quand Virginia était entrée en sixième, elle n'en avait jamais tant vu que dans la tasse qu'on déposait pour le petit déjeuner sur chaque table du réfectoire. Virginia pensait à ses petites sœurs. Si elle pouvait au moins leur apporter le contenu de la petite tasse ! Elle imaginait déjà le contour de leurs lèvres tout blanc de sucre. Elle décida de prélever discrètement quelques pincées de la précieuse poudre qui emplissait la petite tasse. Ce n'était pas facile. Le sucre, friandise convoitée, était sous haute surveillance. De plus, comme elle était tutsi, la tasse lui parvenait la dernière et il n'en restait au fond que d'ultimes traces. Elle recueillait soigneusement ces quelques restes dans sa petite cuillère et, au lieu de verser le sucre dans son bol, elle le basculait subrepticement, le plus rapidement qu'elle le pouvait, dans l'une des poches de son uniforme. Chaque soir, elle vidait la poche. À la fin du trimestre, elle avait réussi à remplir la moitié d'une enveloppe. Mais Dorothée, sa voisine de table, avait surpris le manège. À la veille des vacances, elle lui dit :

— Tu es une voleuse, je vais te dénoncer.

— Moi, une voleuse !

— Oui, tu voles du sucre tous les matins. Tu crois que je ne te vois pas. Tu veux faire du commerce pendant les vacances, chez toi, à la campagne, au marché, avec le sucre volé.

— C'est pour mes petites sœurs. Il n'y a pas de sucre à la campagne. Ne me dénonce pas.

— On peut peut-être s'arranger. Tu es la meilleure en français. Si tu me fais la prochaine rédaction, je ne dirai rien.

— Laisse-moi emporter le sucre pour mes petites sœurs.

— Alors tu fais mes rédactions jusqu'à la fin de l'année.

— Je te les ferai. Je te le jure, jusqu'à la fin de l'année.

Le professeur s'étonna des soudains progrès de Dorothée. Il soupçonna bien quelques tricheries mais renonça à éclaircir l'affaire. Dorothée eut désormais les meilleures notes en français.

La sonnerie de la cloche retentissait à nouveau. C'était le début des cours. Français, maths, religion, hygiène, histoire-géo, physique, sport, anglais, kinyarwanda, couture, français, cuisine, histoire-géo, physique, hygiène, maths, religion, cuisine, anglais, couture, français, religion, sport, français…

Les jours s'ajoutaient aux jours, les cours succédaient aux cours.

Dans le corps enseignant du lycée Notre-Dame-du-Nil, il n'y avait que deux Rwandaises : sœur Lydwine et, bien évidemment, la professeur de kinyarwanda. Sœur Lydwine était prof d'histoire-géo. Mais elle distinguait nettement les deux matières : selon elle, l'histoire, c'était pour l'Europe, la géographie, pour l'Afrique. Sœur Lydwine était passionnée par le Moyen Âge. Dans ses cours, il n'était question que de châteaux forts, de donjons, de meurtrières, de mâchicoulis, de pont-levis, d'échauguettes… Des chevaliers bénits par le pape partaient en croisade pour libérer Jérusalem et massacrer les sarrasins. D'autres s'affrontaient avec des lances pour les beaux yeux de dames aux chapeaux pointus. Sœur Lydwine parlait de Robin des Bois, d'Ivanohé, de Richard Cœur de Lion. « Je les ai vus au cinéma ! ne pouvait s'empêcher de faire remarquer Veronica. — Tu veux bien te taire, se fâchait sœur Lydwine, ils ont vécu il y a bien longtemps, quand tes ancêtres n'avaient pas encore mis les pieds au Rwanda. » Pour l'Afrique, il n'y avait pas d'histoire puisque les Africains ne savaient ni lire ni écrire avant que les missionnaires ouvrent leurs écoles. D'ailleurs, c'étaient les Européens qui avaient découvert l'Afrique et l'avaient fait entrer dans l'histoire. Et s'il y avait eu des rois au Rwanda, il valait mieux les oublier, à présent, on était en République. En Afrique donc, il y avait des montagnes, des volcans, des fleuves, des lacs, des déserts, des forêts et même quelques villes. Il suffisait de retenir leurs noms et de les situer sur la carte : Kilimandjaro, Tamanrasset, Karisimbi, Tombouctou, Tanganyika, Muhabura, Fouta-Djalon, Kivu, Ouagadougou… Mais au milieu, il y avait comme une grande lézarde, l'Afrique, révélait sœur Lydwine en baissant la voix, jetant des regards suspicieux en direction du couloir, l'Afrique se cassait en deux, un jour le Rwanda se retrouverait au bord de la mer, sur quel morceau du continent, celui de gauche ou celui de droite, elle était incapable de le préciser. Au désespoir de sœur Lydwine, toute la classe éclatait de rire, les Blancs décidément n'arrêtaient pas d'inventer des contes à dormir debout histoire de faire peur aux pauvres Africains.

Le prof de maths, c'était M. Van der Putten. Jamais ses élèves ne l'avaient entendu prononcer un mot de français. Il ne communiquait avec la classe que par chiffres (en français, ceux-là, il était bien obligé) et surtout en couvrant le tableau de formules algébriques ou en dessinant avec des craies de toutes les couleurs des figures de géométrie. Par contre, il tenait de longues conversations avec le frère Auxile dans un dialecte qui était sans doute celui d'une des tribus belges. Mais, quand il s'adressait à la mère supérieure, c'était, semblait-il, dans un dialecte un peu différent. La mère supérieure, visiblement importunée, lui répondait en français en détachant les syllabes. M. Van der Putten s'éloignait en grommelant dans son incompréhensible dialecte des mots qui n'étaient peut-être pas aussi grossiers qu'il n'y paraissait à les entendre.

Les cours de religion étaient évidemment confiés au père Herménégilde. Il démontrait, à force de proverbes, que les Rwandais avaient toujours adoré un Dieu unique, un Dieu qui s'appelait Imana et qui ressemblait comme un frère jumeau au Yahwe des Hébreux de la Bible. Les anciens Rwandais étaient des chrétiens sans le savoir qui attendaient avec impatience la venue des missionnaires pour les baptiser mais le diable était venu pervertir leur innocence. Sous le masque de Ryangombe, il les avait entraînés dans des orgies nocturnes au cours desquelles des démons innombrables prenaient possession de leurs corps et de leurs âmes, leur faisaient tenir des discours obscènes et commettre des actes que la décence lui interdisait de préciser devant de chastes jeunes filles. Le père Hermé-négilde se signait plusieurs fois en prononçant le nom maudit de Ryangombe.

Heureux le professeur qui a le bonheur d'en-seigner au Rwanda ! Il n'est pas d'élèves plus calmes, plus dociles, plus attentifs que les élèves rwandais. Le lycée Notre-Dame-du-Nil se confor-mait strictement à cette règle de sagesse géné-rale à l'exception d'un cours où régnait, sinon le chahut, du moins une certaine agitation, c'était celui de miss South, la professeur d'anglais. Il est vrai que les lycéennes ne comprenaient pas bien pourquoi on les obligeait à apprendre une langue qu'on ne parlait nulle part au Rwanda, même si, peut-être, à Kigali, on pouvait l'entendre chez quelques Pakistanais récemment émigrés d'Ouganda ou (et cela montrait bien quel genre de langue c'était) chez les pasteurs protestants qui, comme le répétait le père Herménégilde, interdisaient de prier la Vierge Marie. Le physique et le comportement de miss South n'avaient rien pour rendre attrayante la langue de Shakespeare. C'était une grande femme sèche et rêche, aux cheveux courts à part une longue mèche qui battait contre ses lunettes rondes et avec laquelle elle bataillait en vain. Elle était toujours habillée d'une jupe plissée d'un bleu que des lessives répétées avait déteint et d'un chemisier à fleurettes mauves boutonné jusqu'au col. Après une entrée fracassante, elle jetait sur le bureau un sac de cuir râpé d'où elle extrayait des feuillets qu'elle distribuait à toute la classe titubant et se heurtant aux pupitres. Les élèves la regardaient fixement, une joue appuyée sur la main droite, attendant une chute qui ne survenait jamais. Pendant le cours, elle récitait plutôt qu'elle ne lisait le texte stencilé, faisant ensuite répéter en chœur ce qu'elle venait de dire. Les élèves se demandaient à voix haute si elle était aveugle, folle ou ivre. Frida prétendait qu'elle était ivre : les Anglais, assurait-elle, boivent du matin au soir des alcools très forts, bien plus forts que l'urwarwa, du Johnny Walker que lui avait fait goûter son ami l'ambassadeur et qui lui avait fait tourner la tête. Miss South essayait parfois de faire chanter la classe :

My bonnie lies over the ocean
My bonnie lies over the sea...

Mais la cacophonie était telle que le professeur de la classe voisine intervenait bien vite pour rétablir un peu de silence. Enfin, soupiraient les élèves !

Cela faisait la troisième année que des professeurs français enseignaient au lycée Notre-Dame-du-Nil. Quand la mère supérieure avait reçu une lettre du ministère lui annonçant qu'elle allait recevoir trois professeurs coopérants français, cette nouvelle l'avait remplie d'inquiétude. Elle fit part au père Herménégilde de ses appréhensions. On allait avoir affaire à des jeunes gens, craignait-elle, inexpérimentés puisque la lettre précisait qu'ils venaient, selon une de ces bizarres expressions que les Français ont l'habitude d'inventer, au titre « de volontaires du service national actif ».

— Donc, concluait la mère supérieure, ce sont des jeunes gens qui n'ont pas voulu faire leur service militaire, des antimilitaristes, peut-être des objecteurs de conscience, il ne manquerait plus que ce soient des Témoins de Jéhovah ! Cela ne présage rien de bon. Et vous savez, père Herménégilde, ce qui s'est passé en France il n'y a pas si longtemps : les étudiants dans la rue, les grèves, les manifestations, les émeutes, les barricades, la révolution ! Il faudra tenir à l'œil ces messieurs, surveiller ce qu'ils disent en cours, qu'ils n'aillent pas semer la subversion, l'athéisme dans l'esprit de nos élèves.

— Nous n'y pouvons rien, avait répondu le

père Herménégilde, ces Français, si on nous les envoie, c'est de la politique, de la diplomatie. Il faut bien que notre petit pays élargisse ses relations. Après tout, il n'y a pas que la Belgique...

Les deux premiers Français qu'avait conduits au lycée une voiture de leur ambassade avaient quelque peu rassuré la mère supérieure. Bien sûr, ils ne portaient pas de cravate et l'un d'eux, détail inquiétant, avait une guitare dans ses bagages, mais ils paraissaient plutôt polis, timides et un peu ahuris d'être si soudainement transplantés au fin fond de l'Afrique dans ces montagnes perdues d'un pays dont ils ignoraient jusque-là le nom. « M. Lapointe, expliqua un peu vaguement le conseiller culturel, a voulu venir par ses propres moyens. Il devrait arriver avant la nuit ou au plus tard demain. »

Le troisième Français débarqua effectivement le lendemain matin de l'arrière d'un Toyota. Il aida gentiment les femmes chargées de leur bébé au dos à en descendre. Comme s'il s'agissait d'un véhicule officiel, les gardiens du lycée lui ouvrirent tout grand le portail qui grinça comme à l'accoutumée. On était à la deuxième heure de cours et les lycéennes, celles au moins qui étaient près des fenêtres, virent s'avancer dans la cour un jeune homme très grand, très maigre, vêtu d'un blue-jean qui avait perdu toute couleur et d'une chemisette kaki largement ouverte sur sa poitrine velue, et qui n'avait pour tout bagage qu'un sac à dos orné de nombreux écussons. Mais ce qui stupéfia celles qui avaient la chance de le voir et leur arracha un cri de surprise, si bien que toutes les autres, malgré les protestations des professeurs, se levèrent et se précipitèrent vers les fenêtres, ce fut les cheveux, une chevelure blonde, épaisse et qui descendait en flot ondulé jusqu'à la moitié de son dos.

— Alors, c'est une fille, avait dit Godelive.

— Mais non, tu as bien vu, devant, c'est un homme, contesta Frida.

— C'est un hippie, expliqua Immaculée, les jeunes maintenant, en Amérique, ils sont tous comme ça.

Sœur Gertrude était allée en courant prévenir la mère supérieure :

— Ah, mon Dieu ! ma Mère, le Français, il est là !

— Eh bien quoi, le Français ? Faites-le entrer.

— Ah, mon Dieu, le Français ! Ma Révérende Mère, vous allez voir !

La mère supérieure retint à grand-peine une exclamation d'horreur quand le nouveau professeur entra dans son bureau.

— Je suis Olivier Lapointe, dit nonchalamment le Français, on m'a nommé ici. C'est bien ici le lycée Notre-Dame-du-Nil, n'est-ce pas ?

La mère supérieure, bouleversée d'indignation, ne trouva rien à répondre et se contenta, afin de reprendre ses esprits, de le confier à sœur Gertrude :

— Sœur Gertrude, conduisez-moi monsieur à son logement.

Kanyarushatsi, le Chevelu, comme l'appelèrent les lycéennes, resta confiné dans son bungalow pendant deux semaines. On mettait, lui disait-on, la dernière main à l'emploi du temps. Presque chaque jour, une délégation envoyée par la mère supérieure — le père Herménégilde, sœur Gertrude, sœur Lydwine, des professeurs belges, ses compatriotes et finalement la mère supérieure elle-même — tentait sous prétexte d'une visite de courtoisie de le persuader de se faire couper les cheveux. Le Chevelu était prêt à faire toutes les concessions : porter chemise et cravate, mettre un pantalon correct. Mais sur la longueur de ses cheveux, il était d'une intransigeance absolue. On lui proposa de les couper au moins jusqu'à la nuque. Il refusa tout net. Jamais on ne toucherait à un seul de ses cheveux. Ses cheveux longs, c'était sa seule fierté, le chef-d'œuvre de sa jeunesse, toute sa raison de vivre, il n'y renoncerait pour rien au monde.

La mère supérieure bombarda le ministère de lettres désespérées. La chevelure honteusement longue du professeur français menaçait toute morale aussi bien civique que chrétienne et mettait en péril l'avenir de l'élite féminine rwandaise. Le ministère écrivit une lettre embarrassée à l'ambassadeur de France et à son conseiller culturel. Celui-ci revint menacer le Chevelu. En vain. Malgré la surveillance dont étaient l'objet les abords de son bungalow, les lycéennes venaient rôder autour. On le voyait souvent, après le shampoing, sécher au soleil d'une éclaircie ses longs cheveux dorés. Quelques-unes même allaient jusqu'à lui faire des signes, à l'appeler de loin : « Kanyarushatsi ! Kanyarushatsi ! » De guerre lasse, on finit par l'autoriser à faire cours. Il était professeur de maths, on en manquait. Sa prestation déçut cependant beaucoup les élèves. En cours, il ne s'écartait jamais de ses équations. Au fond, il ressemblait beaucoup à M. Van der Putten si ce n'est que, quand il tournait le dos pour écrire au tableau, les lycéennes contemplaient avec ravissement le flot ondoyant de sa longue chevelure. Le cours terminé, quand Kanyarushatsi sortait de la classe, les plus effrontées des terminales se précipitaient autour de lui et, sous prétexte de lui poser des questions sur ce qu'elles n'avaient pas compris, tentaient de lui toucher les cheveux. Il répondait aussi rapidement qu'il le pouvait sans oser regarder l'essaim de jeunes filles qui le pressait et le bousculait. Il finissait par se dégager de la troupe des soi-disant questionneuses et s'enfuyait à grands pas dans le couloir.

À la fin de l'année, il fut renvoyé en France. « On était alors des petites secondes, regrettait Immaculée, mais, s'il était encore là, je saurais bien l'apprivoiser maintenant. »

— Elles n'ont encore rien mangé, se désolait sœur Bénigne que l'on avait nommée à la cuisine pour seconder la vieille sœur Kizito dont les mains tremblaient et qui ne marchait plus qu'en s'appuyant sur deux cannes, les plats me reviennent à moitié pleins. Elles ont peur que je les empoisonne ? Elles me prennent pour une empoisonneuse ? Je voudrais bien savoir qui leur a fait croire ça. C'est parce que je suis du Gisaka ?

— Ne sois pas inquiète, la rassurait sœur Kizito, dans une semaine, Gisaka ou pas, les valises seront vides et ta cuisine, qu'elle leur plaise ou non, elles seront bien obligées de la manger, elles n'en laisseront pas une miette.

Avant le départ pour le lycée, les mères tenaient en effet à remplir les valises de leurs filles des mets les plus délectables qu'une maman rwandaise puisse imaginer et confectionner.

— Au lycée, disaient-elles, on ne leur fait manger que de la nourriture des Blancs. Ce n'est pas bon pour les Rwandais, surtout pour les jeunes filles, on dit que ça pourrait les rendre stériles.

Les valises se transformaient donc en de copieux garde-manger où les mères entassaient avec amour les haricots et la pâte de manioc accompagnés de leur sauce dans de petites cuvettes émaillées de grosses fleurs qu'elles enveloppaient dans un bout de pagne, des bananes cuites toute une nuit à petit feu, des ibisheke, ces cannes à sucre dont on mâche et remâche la moelle fibreuse et immaculée qui vous emplit la bouche de son jus sucré, des patates douces, les rouges, les gahungezi, des épis de maïs, des ara-

chides et même, pour celles de la ville, des beignets de toutes les couleurs dont les Swahili ont
le secret, des avocats qu'on ne trouve que sur le
marché de Kigali et des arachides rouges, grillées et très salées.

La nuit, dès que la surveillante avait quitté
le dortoir, le festin commençait. On ouvrait les
valises, on étalait les victuailles sur les lits. On
vérifiait que la surveillante était bien endormie,
mais quelques-unes, sœur Rita par exemple,
n'étaient pas dupes et étaient toutes disposées à
se laisser corrompre afin de participer aux agapes.
On comparait les provisions de chacune, on déci-
dait de ce qu'il fallait manger en premier, on
élaborait le menu de la soirée, on dénonçait les
égoïstes, les gourmandes qui tentaient de sous-
traire pour elles seules un peu de leur garde-
manger au banquet commun.

Hélas ! les provisions s'épuisaient vite et il ne
restait plus au bout de deux ou trois semaines
que quelques poignées d'arachides qu'on gardait
comme ultime consolation pour les mauvais jours.
Il fallait bien se résoudre à se nourrir avec ce
que l'on servait au réfectoire : de boulgour fade,
de cette pâte jaune qui collait au palais et que le
père Angelo, souvent invité en voisin, dévorait
avec un évident appétit et saluait du nom sonore
de polenta, de ces petits poissons mous et hui-
leux qu'on tirait de leur boîte, et parfois, le
dimanche et les jours de fête, de la viande d'on
ne sait quel animal appelé corned-beef…

— Tout ce que mangent les Blancs, gémissait

Godelive, sort des boîtes, même les morceaux de mangue et d'ananas qui nagent dans du sirop, et les seules vraies bananes qu'on nous sert, ce sont des bananes sucrées pour finir le repas, mais ce n'est pas comme cela qu'on mange les bananes. Dès que je rentrerai chez moi pour les vacances, avec ma mère, on préparera de vraies bananes, on surveillera le boy quand il les épluchera et les mettra à cuire dans de l'eau et des tomates. Et puis, ma mère et moi, on y ajoutera tout ce qu'on peut : des oignons, de l'huile de palme, des épinards irengarenga très doux et des isogi bien amers, des petits poissons séchés ndagala. Avec ma mère et mes sœurs, on se régalera.

— Tu n'y connais rien, dit Gloriosa, ce qu'il faut, c'est de la sauce d'arachide, ikinyiga, et faire cuire doucement, très doucement, de façon que la sauce imprègne jusqu'aux entrailles de la banane.

— Mais, rectifiait Modesta, si vous faites cuire avec le Butane et dans une casserole comme les gens de la ville, les bananes cuiront trop vite, elles ne seront pas moelleuses, il faut du charbon de bois et surtout une marmite en terre. Ça prend beaucoup de temps. Moi, je vais vous donner la vraie recette, celle de ma mère. D'abord il ne faut pas éplucher les bananes, on met un peu d'eau au fond d'une grande marmite et tu disposes au-dessus les bananes, bien tassées, et tu les recouvres de toute une couche de feuilles de bananier, il faut que ce soit hermétique, tu choisis des feuilles sans déchirures. Dessus, pour faire un poids, on place un tesson de poterie. Il faut attendre longtemps, il faut que cela cuise très lentement mais, si tu es patiente, tu auras des bananes bien blanches, moelleuses jusqu'au cœur. Il faut les manger avec de l'ikivuguto, du lait battu, et inviter les voisines.

— Ma pauvre Modesta, dit Goretti, ta mère fera toujours la délicate, des bananes bien blanches, immaculées et on les accompagne avec du lait ! Tu auras toujours les manières de ta mère. Moi, je vais te dire ce qu'il faut que tu prépares pour ton père : des bananes toutes rouges parce qu'elles ont bu le jus des haricots. Je suis sûre que ta mère ne voudrait pas y toucher mais, quand le boy en fait pour ton père, tu es bien forcée d'en manger. Apprends donc la recette à ta mère : elle les épluche et, quand les haricots sont presque cuits mais qu'il reste une moitié d'eau, elle les jette dans la marmite et elles boivent tout le jus qui reste. Alors elles deviennent rouges, brunes, c'est comme ça qu'elles sont succulentes, consistantes ! Voilà les bananes des vrais Rwandais qui ont la force de manier la houe !

— Vous toutes, dit Virginia, vous êtes des filles de la ville ou des filles de riches, vous n'avez jamais mangé de bananes dans les champs. C'est là qu'elles sont les meilleures ! Souvent, quand on travaille au champ et qu'on n'a pas le temps de rentrer à la maison, on allume un petit feu et on grille une ou deux bananes, pas dans les flammes bien sûr, mais dans la cendre encore toute rouge. Mais il y a bien meilleur : quand j'étais petite fille, avec mes copines, ma mère nous donnait parfois quelques bananes. Alors on allait dans les champs après la récolte du sorgho, on creusait un petit trou. On faisait du feu dans le trou avec des feuilles sèches de bananier. Quand il était consumé, on retirait les braises, le trou restait rouge, on tapissait avec une feuille de bananier encore verte, on plongeait les bananes dans le trou et on recouvrait avec la terre toujours chaude. Il n'y a plus qu'à recouvrir d'une feuille de bananier qu'on asperge d'un peu d'eau. Quand la feuille est bien sèche, on peut ouvrir le trou. La peau des bananes ressemble à la tenue de camouflage des militaires et l'intérieur est moelleux : cela fond dans la bouche ! Depuis je crois que je n'ai pas mangé de bananes aussi bonnes.

— Qu'est-ce que tu es venue faire au lycée alors, dit Gloriosa, tu aurais dû rester dans ta cambrousse à manger des bananes dans les champs. Tu aurais laissé ta place pour une vraie Rwandaise du peuple majoritaire.

— Bien sûr, je suis de la campagne et je n'en ai pas honte mais, moi, j'ai honte de ce que j'ai dit et de ce que nous venons toutes de dire. Est-ce que les Rwandais parlent de ce qu'ils mangent ? C'est une honte de parler de ça. C'est même une honte de manger devant les autres, d'ouvrir la bouche devant quelqu'un et c'est ce que nous faisons tous les jours !

— C'est vrai, dit Immaculée, les Blancs n'ont aucune pudeur. Je les entends quand mon père les invite pour ses affaires. Il est bien obligé. Les Blancs, ils parlent tout le temps de ce qu'ils mangent, de ce qu'ils ont mangé, de ce qu'ils vont manger.

— Et les Zaïrois, dit Goretti, en regardant Frida, ils mangent des termites, des criquets, des serpents, des singes, et ils en sont fiers !

— On va bientôt sonner pour le réfectoire, dit Gloriosa, allons-y et toi, Virginia, tu seras bien forcée d'ouvrir la bouche devant nous pour manger les restes des vraies Rwandaises.

La pluie

Il pleuvait sur le lycée Notre-Dame-du-Nil. Depuis combien de jours, de semaines ? On ne comptait plus. Comme au premier ou au dernier jour du monde, montagnes et nuages n'étaient plus qu'un seul chaos grondant. La pluie ruisselait sur le visage de Notre-Dame du Nil, délavant son masque de négritude. La présumée source du Nil avait submergé la margelle du bassin en un torrent fougueux. Les passants sur la piste (au Rwanda, il y a toujours des passants sur la piste, on ne saura jamais où ils vont ni d'où ils viennent), ils s'abritaient sous de grandes feuilles de bananier qu'une mince pellicule d'eau changeait en miroir vert.

La pluie pendant de longs mois, c'est la Souveraine du Rwanda, bien plus que le roi d'autrefois ou le président d'aujourd'hui, la Pluie, c'est celle qu'on attend, qu'on implore, celle qui décidera de la disette ou de l'abondance, qui sera le bon présage d'un mariage fécond, la première pluie au bout de la saison sèche qui fait danser les enfants qui tendent leurs visages vers le ciel pour accueillir les grosses gouttes tant désirées, la pluie impudique qui met à nu, sous leur pagne mouillé, les formes indécises des toutes jeunes filles, la Maîtresse violente, vétilleuse, capricieuse, celle qui crépite sur tous les toits de tôles, ceux cachés sous la bananeraie comme ceux des quartiers bourbeux de la capitale, celle qui a jeté son filet sur le lac, a effacé la démesure des volcans, qui règne sur les immenses forêts du Congo, qui sont les entrailles de l'Afrique, la Pluie, la Pluie sans fin, jusqu'à l'océan qui l'engendre.

— Peut-être qu'il pleut comme ça sur la terre entière, dit Modesta, peut-être qu'il va continuer à pleuvoir, que la pluie ne cessera jamais, peut-être que c'est à nouveau le déluge du temps de Noé.

— Imaginez, les filles, dit Gloriosa, si c'était le déluge, bientôt il n'y aurait plus que nous sur la terre, le lycée est bien trop haut pour être noyé, il serait comme l'Arche. Nous serions seules sur la terre.

— Et quand l'eau se retirerait — car elle se retirera bien un jour — ce serait à nous de repeupler la terre. Mais s'il n'y a plus de garçons, comment on fera ? dit Frida. Les professeurs blancs, il y a longtemps qu'ils seront repartis se noyer chez eux, et moi, le frère Auxile ou le père Herménégilde, je n'en veux pas.

— Soyez sérieuses, dit Virginia, le déluge, c'est une histoire des abapadri. Chez moi, sur la colline, dès qu'il pleut, on abandonne les champs et on se serre autour du feu. C'est les vacances. Pas besoin d'aller chercher de l'eau, on a fait des gouttières en bananier pour récupérer la pluie. On prend sa douche et on fait la lessive à domicile. On passe son temps à griller du maïs et en même temps à se griller les pieds. Mais, attention, si l'épi éclate et projette ses grains, cela attire la foudre. Et ma mère dira : « Ne riez pas, celles qui montrent leurs dents, surtout celles qui ont la gencive rouge, elles appellent la foudre. »

— Et puis, au Rwanda, il y a les abavubyi, les faiseurs de pluie, dit Veronica. Ce sont eux qui commandent à la pluie. Ils la font venir ou ils l'arrêtent. Mais peut-être qu'ils ne savent plus comment l'arrêter. Ou alors, ils se vengent des missionnaires qui se moquent d'eux et les dénoncent à la commune.

— Et tu y crois, toi, aux abavubyi ?

— Je ne sais pas, mais j'en connais une, une vieille femme. Je suis allée la voir avec Immaculée, elle habite tout près d'ici.

— Raconte-nous.

— Un dimanche après la messe, Immaculée m'a dit : « Je veux aller voir Kagabo, le guérisseur, celui qui vend de drôles de médicaments au marché. J'ai un peu peur d'aller le trouver toute seule. Tu veux venir avec moi ? » Bien sûr j'étais prête à accompagner Immaculée, j'étais curieuse de savoir ce qu'elle avait à faire avec le sorcier que les sœurs tiennent pour le lieutenant du diable. Kagabo, au marché, vous connaissez, il se tient tout au bout de la rangée des femmes qui vendent des petits pois et des fagots de bois. Un peu à l'écart mais on le laisse tranquille, les policiers communaux n'osent pas s'en approcher et ses clients n'aiment pas trop qu'on les remarque. Et puis, devant lui, sur un morceau de natte, il expose des marchandises plutôt inquiétantes ; mais il y en a peut-être qui me diront à quoi ça peut servir ces racines aux formes bizarres, toutes ces herbes et ces feuilles séchées et les petits coquillages qui viennent de très loin, de la mer, les perles de verre comme les colliers que portaient nos grands-mères, des peaux de serval, de serpents, de lézards, des petites houes, des pointes de flèche, des grelots, des bracelets de fil de cuivre, des poudres enveloppées dans des paquets d'écorce de bananier et je ne sais quoi encore… Je ne crois pas qu'il ait beaucoup de clients, ceux qui viennent trouver Kagabo ne font que semblant d'acheter, ils prennent rendez-vous pour des choses plus sérieuses, chez lui, je ne sais où, pour se soigner avec ses petits pots remplis d'eau du Nil, ou pour jeter un sort ou s'en libérer, ou pour des choses encore plus graves.

« On s'est approchées de Kagabo, on tremblait un peu. Immaculée n'osait pas s'adresser à lui. Il a fini par nous remarquer et nous faire signe. « Qu'est-ce que je peux faire pour vous, mes belles demoiselles ? » Immaculée a dit, tout bas, très vite : « Kagabo, j'ai besoin de toi. Voilà, écoute-moi. J'ai un prétendant, dans la capitale. J'ai peur qu'il s'intéresse à d'autres filles, qu'il m'abandonne. Donne-moi quelque chose pour que je garde mon amoureux, qu'il ne pense plus qu'à moi, qu'il ne voie aucune autre fille, que, pour lui, il n'existe qu'une seule fille au monde. Je ne veux pas voir une autre fille sur sa moto. » Kagabo a répondu : « Moi, je m'occupe des maladies, je suis un guérisseur, les histoires d'amour, ça ne me regarde pas. Mais je connais quelqu'un qui peut t'arranger ça : c'est Nyami-rongi, la faiseuse de pluie. Elle ne s'intéresse pas qu'aux nuages. Si tu me donnes cent francs, dimanche prochain je t'y conduirai, tu peux venir avec ta copine, mais alors elle donne cent francs, elle aussi. Tu viens à la fin du marché. On ira chez Nyamirongi. »

« Le dimanche suivant, nous sommes allées, Immaculée et moi, au bout du marché. Kagabo avait déjà remballé son étal de sorcellerie dans un vieux sac en tissu d'écorce de ficus. « Eh, vous ! suivez-moi, dépêchez-vous, vous avez l'argent et pour Nyamirongi aussi ? » On lui a tendu nos billets de cent francs et on est partis sur la piste qui mène à la commune. On l'a bientôt quittée et on a longé la crête, à mi-pente. Kagabo mar-chait très vite, on aurait dit que ses grands pieds nus frôlaient à peine les herbes. « Dépêchez-vous, dépêchez-vous », répétait-il sans cesse. On avait peine à le suivre, on était tout essoufflées. On est parvenus à une sorte de plateau. De là, on voyait le lac et les volcans tout au fond et, sur l'autre rive, les montagnes du Congo. On ne s'est pas arrêtés pour admirer la vue. Kagabo nous a montré : derrière une barre rocheuse, il y avait une petite hutte, comme celle des Batwa, d'où s'échappait une fumée blanche qui se dissipait en se mélangeant aux nuages. « Attendez, a dit Kagabo, je vais voir si elle accepte de vous laisser entrer. » On a attendu longtemps. À l'intérieur de la hutte, on entendait des chuchotements, des gémissements, des petits rires aigus. Kagabo est ressorti : « Venez, a-t-il dit, elle a fini par déposer sa pipe sur son morceau de poterie, elle veut bien vous voir. »

« Nous sommes entrés en nous baissant dans la hutte. Il y faisait très sombre, elle était remplie de fumée. On a fini par distinguer le rougeoiement d'un feu de braises et, derrière, une forme enveloppée dans une couverture. Une voix sous la couverture a dit : « Approchez, approchez. » Kagabo nous a fait signe de nous asseoir, puis la couverture s'est entrouverte et on a aperçu le visage d'une vieille femme, ridé, fripé comme un maracudja desséché mais ses yeux brillaient comme des tisons. Nyamirongi, puisque c'était elle, nous a demandé nos noms. Elle a bien ri quand Immaculée lui a dit qu'elle s'appelait Mukagatare. « Tu n'es peut-être pas encore Celle-de-la-pureté mais cela viendra un jour. » Elle a demandé qui étaient nos parents et nos grands-parents. Elle a réfléchi un instant, sa petite tête entre ses mains qui m'ont paru très grandes. Puis elle a récité le nom de nos ancêtres, même ceux que nos parents ne devaient pas connaître. « Vous n'êtes pas de très bonnes familles, a-t-elle conclu en riant, mais aujourd'hui on dit que ça n'a plus d'importance. »

« Elle s'est tournée vers Immaculée : « Alors Kagabo me dit que c'est toi qui veux me voir. » Immaculée lui expliqua qu'elle avait un amoureux dans la capitale, mais qu'elle avait entendu dire, des amies le lui avaient écrit, qu'elles avaient vu son prétendant avec d'autres filles sur sa moto. Elle voulait que Nyamirongi empêche ça, que son amoureux n'aille pas avec d'autres filles, qu'il ne soit que pour elle.

« — Bon, dit Nyamirongi, je peux arranger ça. Mais dis-moi, tu as couché avec ton amoureux ?

« — Oh non, jamais !

« — Il t'a caressé les seins au moins ?

« — Oui, oui, un peu, répondit Immaculée en baissant la tête.

« — Et le reste aussi ?

« — Un peu, un peu, chuchota Immaculée.

« — Bon, je vois, je vais t'arranger ça.

« Nyamirongi a fouillé dans la série de calebasses et de poteries qui étaient entassées autour d'elle. Elle en a retiré des graines qu'elle examinait longuement, elle en a choisi quelques-unes qu'elle a disposées dans un petit mortier. Elle a réduit en poudre les graines sélectionnées, elle a craché dessus, tout en marmonnant des paroles inaudibles et en a fait une sorte de pâte qu'elle a enveloppée dans un morceau de feuille de bananier, comme de la pâte de manioc.

« — Tiens, prends ça, tu vas écrire à ton amoureux, tu es au lycée, tu sais écrire, à présent même les femmes savent écrire ! D'ici trois jours, la pâte sera sèche, tu en feras de la poudre et tu en mettras dans ta lettre, mais avant, n'oublie pas, tu t'en frotteras les seins et le reste. Lorsque ton prétendant ouvrira la lettre, il respirera la poudre, et je te le promets, tu garderas ton amoureux pour toi toute seule, il n'ira plus avec d'autres filles, donne-moi cinq cents francs et il ne verra plus que toi, il ne pensera qu'à toi, tu le tiendras comme un prisonnier, parole de Nyamirongi, fille de Kitatire, mais quand même il faut que tu te laisses caresser, toute, tu m'entends, toute.

« Elle a repris sa pipe et en a tiré trois bouffées.

« Immaculée lui a tendu un billet de cinq cents francs que Nyamirongi a enfoui sous sa couverture.

« Elle s'est tournée vers moi :

« — Et toi, pourquoi es-tu venue ? Qu'est-ce que tu veux de moi ?

« — On m'a dit que tu commandais à la pluie, je veux voir comment tu fais.

« — Tu es trop curieuse. Je ne commande pas à la pluie : je lui parle, elle me répond. Je sais toujours où elle se trouve et si je lui demande de venir ou de partir, et si elle le veut bien elle aussi, elle fait ce que je lui demande. Vous autres, les jeunes qui êtes à l'école, chez les abapadri, vous ne connaissez plus rien. Avant que les Belges et le chef des abapadri chassent le roi Yuhi Musinga, j'étais jeune mais on me respectait déjà. On connaissait ma puissance car je la tenais de ma mère qui la tenait de sa mère qui la tenait de sa mère... qui la tenait de notre ancêtre, Nyira-mvura, Celle-de-la-pluie. J'habitais un grand enclos au bas de la montagne. Un grand enclos près d'un abreuvoir. Lorsque la pluie tardait, et tu sais comment est la pluie, elle ne sait jamais quand elle doit venir, les chefs menaient leurs vaches à mon abreuvoir où il y avait toujours de l'eau. Ils amenaient leurs jeunes danseurs, les intore. Et ils me disaient : « Nyamirongi, dis-nous où est la pluie, dis-lui de venir et nous te donnerons des vaches, des cruches d'hydromel, des étoffes pour te vêtir comme à la cour du roi. » Et je leur répondais : « D'abord il faut danser pour la pluie, après que tes vaches se seront abreuvées, que tes intore dansent pour la pluie. » Et les intore dansaient devant moi et, quand ils avaient assez dansé, je disais aux chefs : « Regagnez vos enclos car la pluie arrive, elle vous rattrapera avant que vous soyez arrivés. » Et la pluie tombait sur les vaches, sur les haricots, sur le maïs, sur les colocases, elle tombait sur les fils de Gihanga : sur les Tutsi, sur les Hutu, sur les Batwa. J'ai souvent sauvé le pays et pour cela, on m'appelait Umubyeyi, « la Mère », la mère du pays. Mais quand les Bazungu ont donné le Tambour au nouveau roi, on m'a chassée de mon enclos, on voulait me pendre, je me suis cachée longtemps dans la forêt. Et maintenant que je suis très vieille, je vis seule dans cette cabane de Batwa. On va chez les abapadri pour qu'ils fassent venir la pluie. Mais ces Blancs, est-ce qu'ils savent parler à la pluie ? La pluie n'a pas été à l'école, elle ne les écoute pas : la pluie fait ce qu'elle veut. Il faut savoir lui parler. Alors il y en a qui viennent encore me voir. Et comme ton amie, pas seulement pour la pluie. Toi, si tu veux savoir comment je parle à la pluie et comment, si elle le veut bien, elle m'obéit, danse pour la pluie, danse devant moi pour la pluie. Il y a si longtemps que personne n'a dansé devant moi pour la pluie.

« — Nyamirongi ! Tu vois bien que je ne peux pas danser avec cet uniforme du lycée et ta cabane est bien trop petite mais, je t'en prie, dis-moi quand même où est la pluie maintenant.

« — Bon, si tu ne veux pas danser, donne-moi cinq cents francs et je te dirai où est la pluie.

« Je lui ai donné les cinq cents francs.

« — Bon, tu es une bonne fille. Je vais te montrer ce que je suis capable de faire.

« Elle a tendu son bras droit. Le poing était fermé mais l'index était tendu vers le dôme de la hutte. Il avait un ongle très long, comme les serres de l'aigle. Elle a dirigé le bras, l'index au grand ongle dans les quatre directions. Puis elle a replié le bras sous sa couverture.

« — Je sais où est la pluie. Elle est sur le lac, elle me dit qu'elle vient. Partez vite, courez avant qu'elle ne vous rattrape. Je la vois, elle vient, elle traverse le lac. Donnez-moi encore cinq cents francs si vous ne voulez pas être frappées par la foudre, vous n'avez pas dansé pour elle, vous avez mis la pluie en colère, donne-moi cinq cents francs et la foudre vous épargnera.

« — Vite, dit Kagabo, faites ce qu'elle vous dit et partons.

« Nous avons couru, couru sur la pente de la montagne et sur la piste. Les nuages s'accumulaient et montaient vers nous. Le tonnerre grondait. Quand nous avons franchi le portail du lycée, la pluie s'est déchaînée et un éclair a déchiré le ciel.

Les filles restèrent longtemps silencieuses à écouter les battements obstinés de la pluie.

— Je crois, finit par dire Modesta, que Nyamirongi et la pluie ont beaucoup de choses à se dire, cette pluie n'en finira jamais.

— Elle finira comme chaque année avec la saison sèche, dit Gloriosa, mais, dis-moi, Veronica, Immaculée, elle a récupéré son amoureux ?

— Il est monté la voir aussitôt, les gens de Nyaminombe ont vu passer en trombe une grosse moto comme ils n'en avaient jamais vu, elle a fait fuir tout le monde, une petite fille a cassé sa cruche mais, bien sûr, le prétendant ne s'est pas présenté au lycée. Ils s'étaient donné rendez-vous dans la cabane de berger abandonnée, près de la source. Tu sais ce qu'on y fait. Immaculée a suivi les conseils de Nyamirongi et peut-être un peu plus, j'en ai peur.

— Toi, Veronica, dit Gloriosa, tu es trop curieuse, cela te jouera un mauvais tour de fréquenter les sorcières, je suis sûre que tu as dansé devant la sorcière, il n'y a que les Tutsi pour danser devant le diable, je pourrais te dénoncer mais je ne veux pas causer d'ennuis à Immaculée, son père est un homme d'affaires, mon père dit qu'il est généreux pour le parti, après tout, si cette vieille femme fait revenir les amoureux, si elle commande à la pluie, j'irai moi aussi voir Nyamirongi : peut-être qu'en politique elle peut faire des choses.

Isis

— Écoute, Virginia, j'ai quelque chose à te raconter. Mais ne le répète à personne.

— Tu sais bien, Veronica, que, nous autres les Tutsi, nous savons garder nos secrets. On nous a appris à nous taire. Il le faut bien si l'on tient à la vie. Tu sais ce que nous répètent les parents : « Ton ennemie, c'est ta langue. » Si tu crois que ce que tu as à me dire est un secret, tu peux avoir confiance, je sais garder les secrets.

— Alors écoute-moi bien. Tu me connais, le dimanche, j'aime bien me promener toute seule dans la montagne. C'est pour cela que tu m'en veux, mais je n'aime pas aller comme les autres à la boutique ou chez le tailleur, derrière sa machine à coudre, pour voir qui lui a commandé une nouvelle robe. Moi, je préfère être seule, je ne veux plus voir toutes ces filles qui nous détestent. Quand j'arrive là-haut dans la montagne, je m'assois sur un rocher, je ferme les yeux, il n'y a plus personne, il n'y a plus que les belles étoiles qui scintillent sous les paupières. Et parfois je m'imagine dans une autre vie plus heureuse comme il n'y en a sans doute que dans les films…

— C'est tout ce que tu as à me raconter ?

— Non, attends, j'étais partie loin en direction des gros rochers de Rutare, si loin que je ne savais plus trop où j'étais et il n'y a personne qui habite par là. Tout à coup, j'ai entendu derrière moi le bruit d'un moteur. Je ne pouvais pas me tromper : qu'est-ce qui fait ce bruit de ferraille en pleine brousse ? C'est la jeep de M. de Fontenaille. Et en effet, la jeep me dépasse, elle s'arrête brusquement, juste devant moi. M. de Fontenaille ôte son chapeau.

« — Mes salutations, mademoiselle, vous vous êtes perdue, si loin du lycée ? Montez, on va faire une promenade dans ma jeep et je vous ramène sur la piste.

« J'ai peur, mon cœur bondit dans ma poitrine comme s'il allait s'en échapper, je m'enfuis, je cours, la jeep me poursuit.

« — Allons, n'ayez pas peur, je ne vous veux aucun mal et, d'ailleurs, je vous reconnais, je sais qui vous êtes, je vous ai remarquée au pèlerinage parmi les autres, j'ai fait des portraits de vous, venez, il faut que je vous les montre.

« Je suis trop essoufflée, je ne peux plus courir, la jeep s'arrête à côté de moi.

« — Oui, oui, dit M. de Fontenaille, c'est bien vous, celle que j'avais remarquée, celle que je cherche, c'est bien vous qu'il me faut, c'est Elle qui vous envoie.

« Il me regardait fixement comme s'il était

fasciné par mon visage. Je baisse les yeux bien sûr, mais je sens que ma curiosité va finir par l'emporter sur ma peur.

« — Qu'est-ce que vous me voulez ?

« — Rien de mal, bien au contraire. Je te le jure, je n'ai pas de mauvaises intentions. Je ne te toucherai pas. Je te le promets. Fais-moi confiance. Monte, je vais te faire visiter ma maison. Tu t'y verras telle que tu devrais être. Il y a si longtemps que le temple attend sa déesse.

« — Attend sa déesse ?

« — Tu verras toi-même.

« Comme je le craignais, ma curiosité est la plus forte.

« — D'accord, mais il faut me ramener au lycée avant six heures et sans se faire voir.

« — Je t'y ramènerai, discrètement.

« La jeep a escaladé et dévalé je ne sais combien de pentes. Elle cahotait, grinçait, crachotait. Cela faisait un bruit d'enfer. Fontenaille riait sans cesse de me regarder. On aurait dit que la voiture se dirigeait toute seule. On a fini par rejoindre une piste et on est passés sous un arc, un peu comme on en fait pour la fête nationale, mais celui-là était tout en fer. J'ai eu le temps de lire la pancarte FONTENAILLE ESTATE et, au-dessus de l'inscription, j'ai cru apercevoir une autre pancarte plus petite sur laquelle était peinte une espèce de Sainte Vierge qui portait un chapeau avec des cornes de vache comme celui que Fontenaille m'a montré ensuite chez lui. On est passés entre des rangs de caféiers mal entretenus puis on a longé des petites baraques en brique toutes semblables qui avaient l'air abandonnées. On s'est arrêtés devant la grande maison.

« — Viens, m'a dit Fontenaille, je te fais visiter le domaine et je te montrerai ce qui pourrait être le tien.

« J'avais toujours un peu peur, je ne comprenais toujours pas ce qu'il me disait, ni ce qu'il me voulait, mais il n'y avait plus moyen de reculer et j'avais vraiment envie de savoir ce que tout cela pouvait bien signifier. Je pensais que, dans tous les cas, je trouverais bien un moyen de m'en sortir…

« On a traversé la barza et, dans le grand salon, un boy s'est précipité vers nous avec des verres de jus d'orange. Il avait un costume blanc avec des épaulettes dorées. Fontenaille ne me quittait pas des yeux pendant que je buvais mon verre d'orangeade. Moi, je regardais les cornes d'antilopes, les défenses d'éléphants, la peau de zèbre qui étaient accrochées aux murs.

« — Ne fais pas attention à ce bazar, toutes ces dépouilles, c'était pour ceux qui ne viennent plus me voir, ce sont toutes les bêtes que je voudrais ne pas avoir tuées. Suis-moi.

« On a emprunté un long couloir qui menait jusqu'à un jardin. Derrière des bosquets de bambous, il y avait un petit lac envahi de papyrus et, derrière encore, ce qui doit être une espèce de chapelle, mais pas comme les églises des missionnaires. C'était un bâtiment rectangulaire avec des colonnes tout autour. En approchant, j'ai vu que les colonnes étaient toutes sculptées : elles ressemblaient à des papyrus. À l'intérieur, les murs étaient couverts de peintures : d'un côté, des vaches avec les grandes cornes des inyambo, et des guerriers comme nos danseurs intore, et devant un grand personnage qui devait être le roi, avec une couronne de perles comme en portait le mwami Musinga. De l'autre côté, c'était une procession de femmes, de jeunes femmes noires qui ressemblaient aux reines d'autrefois. On aurait dit qu'elles marchaient les unes derrière les autres, le visage de profil. Elles portaient les mêmes robes moulantes et avaient les seins nus, d'ailleurs les robes étaient transparentes et, dans les plis, on voyait le creux de leur ventre et leurs jambes. Elles avaient sur la tête des espèces de perruques mais qui ne ressemblaient pas à des cheveux, on aurait dit un oiseau. Sur le mur du fond, il y avait une sorte de grande Sainte Vierge, aussi noire que Notre-Dame du Nil, habillée comme les femmes sur le mur, mais elle était peinte de face et elle portait un chapeau semblable à celui que j'avais aperçu à la porte d'entrée du domaine : deux cornes de vache et un disque qui brillait comme le soleil. J'avais l'impression que la Dame me regardait de ses grands yeux noirs comme une personne vivante. Devant elle, sur une estrade, il y avait un fauteuil avec un dossier très haut et doré comme celui dans lequel s'assoit monseigneur dans la cathédrale. Sur le siège était posé le drôle de chapeau.

« — Regarde bien, m'a dit M. de Fontenaille, la reconnais-tu, te reconnais-tu ?

« Je n'ai pas su quoi répondre.

« — Regarde bien, a-t-il répété, c'est la Dame du Nil, la vraie. N'est-il pas vrai que tu lui ressembles ?

« — Et alors ? Elle est noire comme moi. Qu'est-ce qu'il y a de plus ? Je m'appelle Veronica, je ne suis pas la Vierge Marie.

« — Non, tu n'es pas la Vierge Marie et Celle-là non plus. Et je veux, si tu en es digne, te révéler son vrai nom qui est aussi le tien.

« — Mon vrai nom, c'est celui que m'a donné mon père, c'est Tumurinde. Vous savez ce qu'il signifie : « Protégez-la ».

« — Tu peux compter sur moi, j'accomplirai ce qu'a voulu ton père, tu m'es trop précieuse. Mais il y a un autre nom que je connais, qui t'est réservé et qui t'attend. Si tu veux bien revenir me voir, je t'expliquerai tout cela.

« Je ne comprenais toujours rien à ce qu'il disait mais j'étais de plus en plus curieuse de savoir ce que tout cela signifiait et je lui ai répondu avant de réfléchir :

« — Je reviendrai dimanche prochain, mais avec une amie, je ne veux pas revenir seule.

« — Si ton amie te ressemble, tu peux venir avec elle, mais seulement si elle te ressemble, il y a une place pour elle.

« — Je viendrai avec elle. Mais il est tard. Il faut me ramener au lycée et que personne ne nous voie !

« — Ma vieille jeep n'aime pas les pistes.

« Il m'a déposée derrière le bungalow des hôtes, juste avant six heures et il est reparti à toute vitesse.

— C'est une drôle d'histoire, dit Virginia, ce Blanc est vraiment fou. Et qui vas-tu emmener avec toi ?

— Toi, bien sûr, dimanche prochain, tu viens avec moi chez le Blanc. On va jouer les déesses ! Tu vas voir, c'est comme au cinéma.

— Tu ne crois pas que c'est dangereux. Tu sais ce que font les Blancs avec les filles qu'ils attirent chez eux. Les Blancs, ils croient qu'ici tout leur est permis, qu'ils peuvent faire tout ce qui est interdit chez eux.

— Mais non, tu n'as rien à craindre. Fontenaille est un vieux fou. Il a tenu promesse, il ne m'a pas approchée. Je te l'ai dit : il me prend pour une déesse. Ce sera pareil pour toi. Tu sais ce que les Blancs racontent sur les Tutsi. J'ai regardé dans les livres à la bibliothèque. Sa chapelle, dans le jardin, elle m'avait rappelé quelque chose. J'ai cherché dans les livres sur l'Antiquité, sa chapelle, ce n'est pas romain, ce n'est pas grec : c'est égyptien, du temps des pharaons, du temps de Moïse. Les colonnes, les peintures, c'est comme ce que j'ai vu dans le livre : c'est un fou, il a fait construire dans son jardin un temple égyptien. Et la femme peinte avec les cornes de vache sur la tête, je l'ai vue aussi dans le livre, c'est une déesse : c'est Isis ou alors c'est Cléo-pâtre comme j'ai vu dans un film.

— Alors, c'est un païen ! Je croyais qu'il n'y en avait plus chez les Blancs. Qu'est-ce qu'il veut faire de nous dans son temple ?

— Je ne sais pas. Peut-être qu'il veut faire notre portrait ou nous photographier ou nous filmer. Peut-être qu'il veut nous adorer. C'est amusant, tu ne trouves pas…

— Tu es aussi folle que lui !

— Pendant les grandes vacances, quand j'ai un peu d'argent, je vais voir des films au Centre culturel français. J'ai toujours eu envie d'être dans le film, d'être une actrice. Alors on va jouer les déesses chez le vieux Blanc. Ce sera comme au cinéma.

— Je viens avec toi pour te protéger et je m'arrangerai pour cacher un petit couteau sous ma jupe pour nous défendre. On ne sait jamais.

La jeep attendait derrière le gros rocher de Rutare. M. de Fontenaille, dès qu'il les aperçut, les salua d'un grand geste, ôtant son chapeau de broussard. Veronica remarqua que son crâne luisait comme la tache scintillante du lac au pied des montagnes. Mais une nuée couvrit le soleil, le lac s'éteignit et M. de Fontenaille remit son chapeau de toile kaki.

— Comme je l'avais dit, je suis venue avec une amie, dit Veronica, c'est Virginia.

M. de Fontenaille examina un long moment Virginia.

— Bonjour, Virginia, finit-il par dire, bienvenue, pour moi, tu seras Candace, la reine Candace.

Virginia se retint d'éclater de rire.

— Je m'appelle Virginia, mon vrai nom, c'est Mutamuriza. Pour vous, si vous voulez, je serai Candace, les Blancs nous ont toujours donné les noms qu'ils ont voulus, après tout, Virginia, mon père ne l'a pas choisi non plus.

— Je t'expliquerai, Candace, ce n'est pas un nom de Blanc, c'est un nom de reine, de reine noire, de reine du Nil. Vous autres Tutsi, vous êtes ses fils et ses filles. Allez, montez.

La jeep démarra en trombe, soulevant une gerbe d'herbes et de boue, puis elle zigzagua entre les roches suivant une piste invisible. Veronica et Virginia s'accrochaient l'une à l'autre pour ne pas être éjectées du véhicule. Celui-ci passa bientôt sous l'arc métallique qui marquait l'entrée du domaine, fila entre les caféiers ensauvagés et la rangée de maisonnettes identiques. « C'étaient les maisons de mes ouvriers, précisa M. de Fontenaille, autrefois je croyais faire fortune avec le café. J'étais un imbécile mais un bon patron quand même. Maintenant j'y loge mes bergers, mes guerriers, mes ingabo. Vous verrez bientôt. » La jeep s'arrêta devant le perron de la grande villa.

Ils pénétrèrent dans le salon aux trophées. Le boy en livrée blanche aux épaulettes dorées fit le salut militaire. M. de Fontenaille désigna aux jeunes filles les fauteuils de rotin où elles devaient s'asseoir. Le boy posa sur une table basse des verres d'orangeade et un plateau de sucreries.

M. de Fontenaille s'était assis face à ses invitées sur une sorte de sofa aux montants de bambous, couvert de lambeaux de peaux de léopards. Il resta un long moment silencieux, le visage enfoui entre ses mains. Lorsqu'il les écarta, ses yeux brillaient d'un éclat si intense que Virginia s'empressa de vérifier sous sa jupe la présence du petit couteau tandis que Veronica lui faisait discrètement signe d'être prête à s'enfuir. Mais M. de Fontenaille ne se jeta pas sur elles : il se mit à parler.

Il parla longtemps, parfois sa voix tremblait d'émotion, parfois elle se faisait grave, parfois elle n'était plus qu'un simple murmure puis redevenait brusquement retentissante. Il répétait sans cesse qu'il allait leur révéler un grand secret, un secret qui les concernait, le secret des Tutsi. Dans leur long exode, expliquait-il, les Tutsi avaient perdu la Mémoire. Ils avaient conservé leurs vaches, leur noble prestance, la beauté de leurs filles, mais ils avaient perdu la Mémoire. Ils ne savaient plus d'où ils venaient, qui ils étaient. Lui, Fontenaille, ils savaient d'où les Tutsi venaient, qui ils étaient. Comment il avait découvert cela, c'était une longue histoire, l'histoire de sa vie, son destin, il n'avait pas peur de le dire.

En Europe, il voulait être peintre, mais personne n'achetait ses toiles et il y avait longtemps que sa noble famille, il ricanait en prononçant

86

ce mot, était ruinée. Il était parti en Afrique chercher fortune. Il avait obtenu des terres, ici, dans la montagne où personne ne voulait s'installer. Un grand domaine pour cultiver du café, de l'arabica. Il était devenu un planteur, un colon. Il s'était enrichi. Il aimait faire des safaris, au Kenya, au Tanganyika. Il tenait table ouverte et, malgré la mauvaise piste, les invités qui montaient de la capitale ne voulaient à aucun prix manquer ses réceptions. Dans le grand salon, on buvait beaucoup, on discutait beaucoup : des potins de la capitale, des bêtes qu'ils avaient abattues, des cours du café, de l'insondable bêtise de leurs boys, des indigènes qu'on n'en finirait jamais d'éduquer, des filles qui accompagnaient les invités ou de celles que fournissait complaisamment leur hôte, de belles filles, Tutsi pour la plupart, mes modèles, précisait Fontenaille, car il dessinait, peignait les bergers appuyés sur leur long bâton, les vaches aux cornes en forme de lyre, les jeunes filles, le panier pointu ou la cruche en équilibre sur la tête, des jolies filles à la haute coiffure soutenue par des diadèmes de perles de verre. Il accumulait les portraits de celles qui acceptaient de venir dans la villa. Ces visages le fascinaient.

Ce que l'on racontait des Tutsi l'avait convaincu. Ce n'étaient pas des nègres. Il n'y avait qu'à voir leur nez et leur peau moirée de reflets rougeâtres. Mais d'où venaient-ils ? Le mystère des Tutsi le tracassait. Il était allé interroger les vieux missionnaires barbus. Il avait lu tout ce qu'on pouvait lire sur le sujet. Personne n'était d'accord. Les Tutsi venaient d'Éthiopie, c'étaient des sortes de Juifs noirs, des coptes émigrés d'Alexandrie, des Romains égarés, des cousins des Peuls ou des Massaï, des Sumériens rescapés de Babylone, ils descendaient tout droit du Tibet, de vrais Aryens. Fontenaille s'était juré de découvrir la vérité.

Quand les Hutu, avec l'aide des Belges et des missionnaires, avaient chassé le mwami et s'étaient mis à massacrer les Tutsi, il avait compris qu'il y avait urgence à accomplir ce qu'il s'était promis de faire. C'était désormais la mission de sa vie. Les Tutsi, il en était certain, allaient disparaître. Ici, ils finiraient par être exterminés, ceux qui s'étaient exilés se dilueraient de métissages en métissages. Il ne restait qu'à sauver la légende. La légende qui était la vérité. Alors il avait délaissé ses amis, abandonné la plantation. Il avait appris à déchiffrer les hiéroglyphes. Il avait voulu s'initier au copte, au guèze. Il essayait de parler en kinyarwanda avec son boy. Mais décidément, il n'était pas un savant, pas un anthropologue, pas un ethnologue. Tous ces livres, toutes ces études ne menaient à rien. Lui, il était un artiste, ses seuls guides, c'était son intuition, son inspiration. Cela le menait bien plus loin que tous ces savants et leur érudition. Alors il avait décidé d'aller sur place, au Soudan, en Égypte. Là il avait vu le temple de la déesse avant qu'il ne soit englouti, il avait vu les pyramides des pharaons noirs, les stèles des reines Candace au bord du

Nil. C'était là qu'était la preuve. Les visages gravés dans la pierre, c'étaient bien les mêmes que ceux qu'il avait peints. Il ne pouvait plus en douter. Cela avait été comme une illumination. L'empire des pharaons noirs, c'était bien de là qu'étaient venus les Tutsi. Chassés par le christianisme, par l'islam, par les barbares du désert, ils avaient entrepris la longue marche jusqu'aux sources du Nil, parce que, croyaient-ils, c'était la terre des Dieux d'où, par la grâce du fleuve, ils dispensaient l'abondance. Ils avaient gardé leurs vaches, leurs taureaux sacrés, ils avaient gardé leur noble prestance, leurs filles avaient conservé leur beauté, mais ils avaient perdu la Mémoire.

Maintenant, lui, Fontenaille, il allait accomplir sa mission. Il avait tout abandonné pour elle. Il avait rebâti le temple de la déesse, la pyramide des pharaons noirs. Il avait peint la déesse et la reine Candace. « Et vous, dit-il, grâce à moi, parce que vous êtes belles, parce que vous leur ressemblez, vous allez retrouver la Mémoire. »

M. de Fontenaille les conduisit dans son atelier. Il était difficile de se frayer un chemin entre les piles des cartons à dessins. Sur un chevalet était esquissé un portrait.

— Mais c'est toi, Veronica, dit Virginia.

— Oui, dit M. de Fontenaille, c'est bien notre déesse mais vous la verrez mieux dans son temple.

Au mur étaient accrochées des reproductions et des photographies de fresques, de bas-reliefs et de stèles où l'on voyait des pharaons noirs sur leur trône, des dieux à tête de faucon, de chacal, de crocodile, des déesses coiffées d'un disque solaire et de cornes de vache. M. de Fontenaille s'arrêta devant une grande carte qui représentait le cours du Nil. Veronica remarqua qu'aucun des noms qui y étaient portés ne correspondait à ceux qu'elle avait lus dans son livre de géographie.

— Là, commenta M. de Fontenaille, c'est Philae, le temple de la Grande Déesse, et là, c'est Méroé, la capitale de l'empire de Koush, des pharaons noirs, des Candace, la capitale aux mille pyramides. J'y suis allé pour vous, les Tutsi, et je vous y ai retrouvés. Tenez, vous allez voir.

Il sortit une feuille d'un carton à dessin et la tendit à Veronica.

— C'est ton portrait. Je l'ai fait d'après les croquis que j'avais crayonnés au pèlerinage. Et maintenant, je le mets auprès de cette photo que j'ai prise à Méroé. C'est Isis, la Grande Déesse, elle déploie ses ailes pour protéger le royaume. Elle a les seins nus. Regarde bien son visage, c'est le tien, exactement le tien, on a fait ton portrait à Méroé, il y a trois mille ans. J'ai la preuve.

— Mais je n'ai pas vécu il y a trois mille ans, je n'ai pas d'ailes et il n'y a plus de royaume.

— Tu verras, tu verras, bientôt tu comprendras. Maintenant il faut aller au temple.

— Veronica, dit M. de Fontenaille, lorsque tu es venue dans le temple pour la première fois, sans doute n'as-tu pas bien observé ma fresque.

Regarde bien les visages des jeunes filles qui apportent leurs offrandes à la Grande Déesse, tu n'en reconnais pas quelques-unes ?

— Mais si, dit Virginia, la troisième, là, c'est moi ! Et celle qui est juste devant, c'est Emmanuella qui était il y a deux ans en dernière année. Et celle-là, c'est Brigitte qui est en seconde. On dirait qu'il a peint toutes les Tutsi du lycée.

— En tout cas, moi, je n'y suis pas.

— Tu n'es pas dans la procession parce que c'est toi qui as été choisie, retourne-toi et tu te verras, dit M. de Fontenaille.

Sur le mur du fond, en effet, le visage de la Grande Déesse était celui de Veronica. Il n'y avait que les yeux qui étaient démesurément agrandis.

— Tu vois, dit M. de Fontenaille, dimanche dernier, j'ai eu tout le temps de t'observer. Alors j'ai rectifié le visage de la déesse pour qu'il ressemble vraiment au tien. Maintenant tu ne peux plus le nier : tu es Isis.

— Je ne suis rien de tout cela. Je ne veux pas que vous vous moquiez de moi. Et il est encore plus dangereux de défier les esprits des morts. Les abazimu peuvent se venger et leur vengeance est souvent cruelle.

— Ne te fâche pas. Bientôt tu comprendras. Suivez-moi, on continue la visite.

Ils sortirent du temple et gravirent le versant jusqu'à la crête. Quelques vaches aux hautes cornes paissaient sur la pente gardées par de jeunes bergers. Non loin, sur une petite éminence, s'élevait l'enclos où le troupeau rentrait chaque soir. Le dôme de la hutte centrale au toupet artistement tressé dépassait des clôtures de haies vives. « Voyez, dit M. de Fontenaille, si les Tutsi viennent à disparaître, je sauverai au moins leurs vaches, les inyambo. C'est peut-être un taureau comme celui-là, un taureau sacré, qui les a conduits jusqu'ici. » Au sommet, au centre d'un bois touffu de vieux arbres, comme un lambeau de forêt, se dressait une pyramide, plus haute et plus effilée que celle que les Belges avaient érigée à la source de Notre-Dame du Nil. « C'est là que j'ai fait des fouilles, expliqua M. de Fontenaille. Les vieux racontaient que c'était le tombeau d'une reine. La reine Nyiramavugo. J'ai fait creuser. On a trouvé un squelette, des perles, des poteries, des bracelets de cuivre. Je ne suis pas archéologue. Je ne voulais pas que les ossements de la reine finissent dans un musée, sous une vitrine. J'ai fait reboucher la fosse et construire dessus cette pyramide. La reine Nyiramavugo a une sépulture digne des reines Candace. Approche-toi, Virginia, puisque désormais toi aussi tu es la reine, une reine Candace. Renoue la chaîne des temps. Maintenant tout est en place. Le temple, la pyramide, le taureau sacré. Et j'ai retrouvé Isis et Candace, belles comme au premier jour. La fin sera comme le commencement. C'est le secret. Isis est remontée à la source. J'ai le secret, le secret, le se… »

M. de Fontenaille semblait avoir beaucoup de peine à contenir l'exaltation qui l'envahissait, faisait trembler ses mains et nouait sa gorge.

Pour retrouver son calme, il alla s'asseoir, un peu à l'écart, sur un rocher et contempla un long moment le moutonnement des montagnes que les nuages paraissaient prolonger à l'infini.

— Je crois, dit Veronica, qu'il ne voit pas le même paysage que nous. Il doit y ajouter des déesses, des reines Candace, des pharaons noirs. C'est comme un film dans sa tête, mais maintenant il veut des actrices en chair et en os et c'est nous.

— Les Tutsi ont déjà joué dans les mauvais films des Blancs, dans leur folie tu devrais dire, et c'était pour notre malheur. Je ne veux pas jouer les reines je ne sais quoi. Je veux rentrer au lycée, viens, il faut lui dire de nous ramener.

Quand les jeunes filles s'approchèrent de lui, M. de Fontenaille sembla émerger d'un profond sommeil.

— La pluie arrive, dit Veronica, il est tard, il faut nous reconduire jusqu'à la piste.

— Je vous ramène. Ne craignez rien. Personne ne vous verra. Mais dimanche prochain, je vous attends. Ce sera le grand jour. Bien mieux que le pèlerinage à Notre-Dame du Nil.

C'est Immaculée qui trouva Veronica étendue au bas de l'escalier du dortoir.

— Au secours, au secours ! Veronica est morte, là, elle est tombée, elle ne bouge plus.

Les lycéennes qui venaient de s'asseoir autour des tables du réfectoire se précipitèrent vers l'escalier du dortoir. Virginia, la première, se pencha sur Veronica.

— Mais non, elle n'est pas morte, elle n'est pas morte, elle est évanouie, elle est tombée dans l'escalier, elle s'est cogné la tête contre une marche.

— Elle avait sans doute trop bu, dit Gloriosa, elle a dû aller au cabaret de Leonidas, cette fille n'a peur de rien, elle n'a aucune honte, les garçons lui ont payé à boire, elle n'a pas refusé.

— On l'a peut-être empoisonnée, dit Immaculée, il y a trop de jalouses ici.

Sœur Gertrude qui faisait aussi office d'infirmière se fraya difficilement un passage entre les lycéennes.

— Écartez-vous, laissez-la respirer, aidez-moi plutôt à la transporter à l'infirmerie.

Sœur Gertrude prit Veronica par les épaules et Virginia souleva les jambes, repoussant Gloriosa qui s'avançait : « Toi, surtout, ne la touche pas. »

On étendit Veronica sur le lit métallique de l'infirmerie. Virginia voulait rester veiller son amie mais sœur Gertrude lui demanda de sortir et ferma la porte. Un petit groupe de lycéennes était resté devant à attendre le diagnostic de la sœur infirmière. Celle-ci finit par entrouvrir la porte et déclara :

— Ce n'est rien, une crise de malaria, je vais soigner ça, il ne faut pas la déranger, vous n'avez rien à faire ici.

Virginia ne parvint pas à trouver le sommeil. Qu'était-il arrivé à Veronica ? Que lui avait fait ce fou de Fontenaille ? Virginia n'osait même pas se l'imaginer. Les Blancs ici se croient tout permis : ils sont blancs. Virginia se reprochait d'avoir refusé d'accompagner son amie. À elles deux, elles se seraient défendues, elle avait son petit couteau, elle aurait convaincu Veronica de s'enfuir avant qu'il ne soit trop tard. Dès que sonna l'heure du réveil, pendant que les autres faisaient leur toilette et que les sœurs assistaient à la messe matinale, Virginia se glissa jusqu'à l'infirmerie. Veronica était assise sur le lit, la tête enfouie dans un grand bol. Dès qu'elle vit son amie, elle déposa le bol sur la table de chevet :

— Tu vois, dit-elle, sœur Gertrude m'a bien soignée, elle m'a donné du lait.

— Qu'est-ce qui t'est arrivé ? Raconte-moi avant que la sœur revienne.

— C'est difficile, c'est comme si j'avais fait un mauvais rêve, un cauchemar. Je ne sais pas si ce que je vais te raconter m'est vraiment arrivé. Les Blancs sont pires que nos empoisonneurs. Donc je suis allée au rocher du rendez-vous. La jeep m'y attendait mais ce n'était pas Fontenaille qui était au volant. C'était un jeune, un Tusti évidemment, sans doute un de ceux qu'il appelle ses ingabo. Dans le salon, il y avait le boy à galons avec son plateau de jus d'orange. Il m'a dit de boire. Le jus avait un drôle de goût. Fontenaille est arrivé. Il était drapé dans un pagne tout blanc qui lui laissait une épaule nue.

« — Ton amie n'est pas venue ?

« — Non, elle était malade.

« — Tant pis pour elle, elle ne connaîtra pas sa Vérité.

« Ensuite, je ne sais plus ce qui m'est arrivé. C'était comme si je n'avais plus de volonté. Je ne m'appartenais plus. Il y avait quelque chose en moi, quelqu'un en moi, de plus fort que moi. Je me suis vue dans le temple. J'étais comme les femmes peintes sur le mur. Je ne sais qui m'avait déshabillée. J'avais les seins nus et le tissu doré qui m'enveloppait était transparent. Mais je n'avais pas honte. C'était comme dans un rêve qu'on ne peut interrompre et je me voyais dans ce rêve. Autour de moi, les guerriers de la fresque s'étaient détachés du mur. Ils ne ressemblaient pas vraiment aux intore. Ils n'avaient qu'un petit caleçon, comme un short, et des lances et de grands boucliers en peau de vache. Je ne sais pas si leurs cheveux étaient défrisés ou s'ils portaient des perruques. À présent, je crois que c'étaient les guerriers dont parlait Fontenaille. J'avais l'impression que j'étais dans un film. Fontenaille m'a fait asseoir sur le trône et m'a mis sur la tête le chapeau aux grandes cornes. Je l'ai vu comme dans un brouillard qui faisait de grands gestes en prononçant des paroles incompréhensibles comme le prêtre à la messe. Après je ne sais plus ce qui s'est passé. J'ai perdu connaissance. Je suis peut-être tombée du trône. Je ne me souviens de rien. Quand je suis revenue à moi, j'étais dans la jeep. C'était le jeune boy qui conduisait. On m'avait remis ma robe d'uniforme. Il m'a déposée tout près du lycée en me disant : « Tâche de rentrer sans te faire remarquer, fais surtout attention à toi et ne dis rien à personne. Mais regarde bien dans ton soutien-gorge, il y a certainement quelque chose pour toi. » J'ai réussi à monter au dortoir. Dans mon soutien-gorge, j'ai trouvé dix billets de mille francs. Je les ai cachés dans ma valise. Mais en redescendant, tout s'est mis à tourner, je suis tombée.

— Et il ne t'a rien fait ?

— Non, non, il ne m'a pas touchée. Il n'est pas comme les autres Blancs qui ne pensent qu'à te jeter aussitôt dans leur lit. Lui, ce qu'il veut, c'est mettre en scène sa folie. Je suis son Isis.

— Et pourquoi il t'a droguée alors ?

— Je ne sais pas. Il avait peur que je refuse de faire ce qu'il voulait, que je me moque de lui. Il voulait que tout se passe exactement comme il l'avait rêvé, alors il m'a fait boire sa drogue mais il a forcé la dose, c'est un mauvais empoisonneur. Ma curiosité a quand même des limites : sans son poison, crois-tu que j'aurais accepté de me prêter à ce jeu ridicule ? Avec les billets, il y avait une lettre, il écrit qu'il regrette de m'avoir fait boire sa drogue, de n'avoir pas eu confiance en moi, mais qu'il n'avait pas le choix : il n'avait pas le droit à l'échec. Il espère que je comprendrai et que je reviendrai quand même le voir. Il n'y a que moi pour faire la déesse. Il m'invite à rester chez lui pendant les grandes vacances, il paiera mes études, même en Europe, il est prêt à y mettre beaucoup d'argent…

— Et tu y crois à ses promesses ?

— Ça fait rêver.

— Tu es aussi folle que lui, tu vas finir par te prendre pour la déesse. Tu sais ce qui nous est arrivé à nous les Tutsi quand certains ont accepté de jouer le rôle que les Blancs nous avaient attribué. C'est ma grand-mère qui m'a raconté ça : quand les Blancs sont arrivés, ils ont trouvé que nous étions habillés comme des sauvages. Ils ont vendu aux femmes, aux femmes des chefs, des perles de verre, beaucoup de perles et beaucoup de tissu blanc. Ils ont montré comment s'en draper et comment se coiffer. Et ils en ont fait les Éthiopiennes, les Égyptiennes qu'ils étaient venus chercher jusque chez nous. Ils avaient leurs preuves. Ils les avaient habillées à l'image de leurs délires.

Le sang de la honte

Elle avait encore une fois fait ce mauvais rêve qui l'avait réveillée. Ses camarades étaient furieuses ou s'étaient moquées d'elle : elle avait poussé un cri qui les avait elles aussi réveillées, cela lui arrivait trop souvent, elles allaient se plaindre à la surveillante.

Modesta ne savait plus si cela avait été vraiment un cauchemar. Elle avait regardé les draps ; sous le drap, elle avait relevé sa chemise de nuit, avait passé sa main entre ses cuisses. Non, il n'y avait rien. Ce n'était qu'un mauvais rêve qui la poursuivait depuis qu'elle était femme. C'était peut-être un mauvais sort, un maléfice qu'on lui avait jeté, quelqu'un qu'elle ne connaissait pas, qui était son ennemi dissimulé, qui était peut-être tout près d'elle, une de ses camarades, ou cela venait de plus loin, de chez elle, des voisins jaloux, elle ne le savait pas, elle ne le saurait peut-être jamais.

Le rêve pouvait se passer dans son lit, le plus souvent en classe. Elle se mettait à saigner, une énorme tache rouge imprégnait sa robe bleue, le sang engluait ses cuisses, ses jambes, coulait en un long ruisseau sous son banc, sous les autres pupitres. Les élèves se mettaient à hurler : « C'est encore elle, elle saigne, elle saigne... ça n'en finira jamais », et la professeur criait : « Il faut l'emmener chez sœur Gerda, elle, elle sait ce qu'il faut faire avec les filles qui saignent n'importe où et n'importe quand. » Et brusquement, elle se voyait dans le bureau de sœur Gerda et sœur Gerda était en colère contre elle, elle parlait fort : « Voilà, je l'avais bien dit, voilà ce que c'est d'être femme, vous voulez toutes être femmes, c'est votre faute, et maintenant tout ce sang, cela ne finira jamais, jamais... »

Modesta n'aimait pas se souvenir. Mais toujours le même souvenir s'imposait. Ce n'était plus un rêve, c'était un souvenir qu'il fallait revivre sans fin, comme un péché qu'elle ne pourrait jamais expier. Cela avait commencé l'année où elle était entrée à l'école secondaire. Elle avait été reçue à l'examen national. Elle était admise au tronc commun. Elle était fière. Ses parents étaient fiers. Les voisins étaient fiers et jaloux. Elle était fière que les voisins soient jaloux à cause d'elle. On avait fait faire son uniforme chez le tailleur, on avait acheté les cahiers et les Bics à l'Économat de Saint-Michel, au quartier Muhima, chez le Pakistanais, on avait acheté la toile pour les deux draps. Sur la liste, il y avait aussi deux mètres de tissu blanc, de celui qu'on appelle americani. Elle ne savait pas à quoi cela pouvait servir. Son père non plus. Elle n'avait pas demandé à sa mère qui ne connaissait rien aux choses de l'école. Elle n'avait pas osé poser la question au père de la paroisse. On avait mis tout cela dans la valise qu'on avait achetée tout exprès pour elle, celle de sa grande sœur était trop usée, il fallait une valise neuve pour faire bonne figure, pour l'honneur de la famille. À l'arrivée au collège, la sœur surveillante en avait vérifié le contenu. Il ne manquait rien. Il y avait bien le tissu americani. La sœur semblait beaucoup y tenir : « Tu l'apporteras dès le premier cours de couture », avait-elle dit.

La classe de sixième se divisa bientôt en deux clans : il y avait celles qui avaient des seins et celles qui n'en avaient pas. Celles qui avaient des seins se mirent à mépriser celles qui n'en avaient pas. Elles discutaient beaucoup avec les grandes qui, toutes, avaient des seins. On aurait dit qu'elles avaient des secrets à partager. Modesta faisait partie de celles qui n'avaient pas de seins. Deux petits mamelons gonflaient pourtant sa poitrine, des bourgeons de seins. Mais les grandes, Modesta se demandait pourquoi, n'avaient pas voulu l'accueillir dans leur secte.

Au cours de couture, deux jours après la rentrée, la professeur vérifia que toutes avaient bien l'americani. Modesta montra comme les autres son morceau de tissu. « Nous allons confectionner des bandes, dit la professeur, c'est ce qu'il faut faire en premier. Tout le monde doit avoir terminé à la fin du cours. » La professeur distribua des ciseaux et le patron : les élèves découpèrent le tissu en longues bandes. On coupa ensuite les bandes en vingt tronçons. « Maintenant, vous pliez les vingt morceaux en quatre et puis il faudra les coudre sur les bords. Cela doit faire comme un petit matelas. » Elle leur fit ensuite confectionner un sac qui fermait avec une ficelle et on y mit les vingt bandes. « Pour celles qui n'en ont pas encore besoin, dit la professeur, vous les rangez soigneusement dans votre valise, en attendant. »

Mais il y avait bien d'autres mystères. Dans le jardin, derrière un bosquet de bambous, se trouvait une petite maison en brique entourée d'un muret. « C'est la maison close, disaient les grandes en riant, vous les fillettes qui n'avez pas de seins, vous n'avez rien à y faire, surtout ne vous en approchez pas. » Les sœurs, elles, ne riaient pas. Il y en avait toujours une pour surveiller la petite maison interdite. Elle chassait les boys ou les jardiniers qui s'en approchaient de trop près et punissaient sévèrement les petites qui, par curiosité, rôdaient autour. C'était surtout la sœur Gerda qui faisait la sentinelle, la Gardienne du Mystère. Elle devenait féroce si elle surprenait quelqu'un, l'une des petites, qui essayait de suivre les initiées aux Mystères qui se dirigeaient vers la Maison interdite un petit seau à la main. Mais au fond, elles savaient bien, les petites qui n'avaient pas de seins, que bientôt tous ces mystères, celui des bandes d'americani, celui de la maison close, celui du petit seau, leur seraient dévoilés. Elles savaient bien que leur tour viendrait.

L'initiation. La peur. La honte. Pour Modesta, cela s'était passé en classe. Pendant le cours d'anglais. Elle avait senti un liquide chaud couler sur ses jambes et quand elle s'était levée les camarades de la rangée de derrière avaient vu une grande tache rougeâtre s'étaler sur sa robe, un filet de sang couler sur sa jambe, goutter sur le ciment. « Madame ! » avait crié la voisine en montrant Modesta. La professeur avait vu le sang répandu. « Vite, avait-elle dit, Immaculata, emmène-la chez sœur Gerda. » Modesta suivit Immaculata, elle pleurait toutes les larmes de son corps. « Ne pleure pas, disait Immaculata, c'est comme ça pour toutes les filles. Tu ne croyais tout de même pas y échapper. Maintenant tu es une vraie femme. Tu auras des enfants. » Immaculata frappa à la porte du bureau de sœur Gerda. « Tiens, dit sœur Gerda, c'est Modesta, je ne l'attendais pas si tôt. Alors on devient une petite femme. Tu vas voir comme il faut souffrir pour cela : c'est Dieu qui l'a voulu ainsi à cause du péché d'Ève, la porte du diable, notre mère à toutes. Les femmes sont faites pour souffrir. Modesta, c'est un beau nom pour une femme, pour une chrétienne, et chaque mois, désormais, ce sang te fera souvenir que tu n'es qu'une femme, et si tu te crois trop belle, il sera là pour te rappeler ce que tu es : seulement une femme. »

Après avoir pris une douche, Modesta fut initiée par sœur Gerda aux Mystères des cycles de la femme. Elle lui expliqua l'utilisation des bandes qu'elle appellerait désormais « hygiéniques ». Elle lui dit de se procurer à l'économat un petit seau avec couvercle pour mettre les bandes usagées et une brique de savon de Marseille. Ce ne serait pas la peine d'expliquer pourquoi à la sœur Bernadette qui était derrière le comptoir.

Sœur Gerda demanda la clé du dortoir qui restait fermé toute la journée, fit ouvrir toutes grandes les portes pour que Modesta aille prendre une bande dans le sac et accompagna Modesta jusqu'à la petite maison en brique. Dès qu'elle en ouvrit la porte, une odeur à la fois âcre et fétide fit reculer Modesta : « Entre, dit sœur Gerda, tu ne peux plus reculer, il est trop tard pour faire la fillette. » Dans la pénombre de la salle que n'éclairait qu'une étroite fenêtre grillagée, Modesta vit des cordes à linge tendues d'un mur à l'autre et, sur ces cordelettes, pendaient, rosâtres, grises, violacées, blanc sale, les bandes hygiéniques que les pensionnaires avaient étendues pour sécher. « Au fond, dit sœur Gerda, il y a un bac pour laver tes bandes souillées, tu frottes, tu frottes, mais tu ne frotteras jamais assez pour effacer la faute d'être femme. Et je pourrais te dire, ces bandes, à qui elles appartiennent, celles qui frottent et celles qui ne frottent pas, on remarque tout de suite les fainéantes, leurs bandes restent imprégnées de leurs menstrues, c'est une honte ! Alors, toi, Modesta, frotte pour ne pas ajouter la honte à la honte. »

Modesta aimait se confier à Virginia. Elle lui faisait ses confidences en cachette, loin des regards, surtout de ceux de Gloriosa. Bien sûr, une fille hutu pouvait être l'amie d'une fille tutsi. Cela n'engageait en rien l'avenir. Quand il s'avérerait nécessaire que le peuple majoritaire devienne définitivement majoritaire, les filles hutu sauraient bien de quelles races elles étaient. Puisqu'il y avait deux races au Rwanda. Ou trois. Les Blancs l'avaient dit, c'est eux qui l'avaient découvert. Ils l'avaient écrit dans leurs livres. Des savants qui étaient venus exprès pour ça, qui avaient mesuré tous les crânes. Leurs conclusions étaient irréfutables. Deux races : Hutu/ Tutsi. Bantu/Hamite. La troisième, ce n'était même pas la peine d'en parler. Mais Modesta n'était pas tout à fait hutu. Bien sûr, elle était hutu puisque son père l'était. Le père, c'est ce qui compte. Mais, à cause de sa mère, on pouvait dire, et certaines ne manquaient pas de le dire, qu'elle ne l'était qu'à moitié. Il était dangereux pour elle de s'afficher avec une Tutsi. On lui dirait aussitôt : « Alors, de quel côté es-tu ? Sais-tu vraiment qui tu es ? Ou alors tu es une traître, une espionne des cafards, des Inyenzi. Tu te fais passer pour une Hutu, mais au fond, dès que tu

peux, tu vas vers les Tutsi parce que tu les consi-
dères comme ta vraie famille. »

Mais il y avait pire. Les soupçons qui pesaient
sur Modesta ne venaient pas seulement de sa
mère. Après tout, beaucoup de dirigeants hutu
avaient pris pour femmes des Tutsi. C'étaient
les trophées de leur victoire. L'épouse du Président n'était-elle pas tutsi ? Non, ce qui aggra-
vait le cas de Modesta, c'était son père, Rutetereza,
le Hutu qui avait voulu se faire Tutsi, kwihutura
comme on disait, « se déhutuhiser ». Il avait d'ailleurs quelques-unes des caractéristiques phy-
siques que l'on attribue aux Tutsi : très grand, le
nez court, le front dégagé, mais il faisait plutôt
partie de ceux, très nombreux, qu'on appelait
ikijakazi, les « ni l'un ni l'autre ». Il était d'une
bonne famille hutu. Il avait fait quelques années
d'étude au petit séminaire. Il était devenu le
secrétaire, le comptable, l'intendant d'un chef
tutsi. Il s'était attaché à lui. Il en avait pris les
manières. Il s'était enrichi en détournant discrètement mais régulièrement un peu des capita-
tions qu'il percevait au nom de son chef. Il avait
acheté des vaches. Pour manifester sa nouvelle
magnificence, il en offrit une à un voisin tutsi
qui avait perdu les siennes. Il voulait l'entendre
s'exclamer à tout propos comme le veut la
coutume : « Rutetereza, toi qui m'as donné une
vache, yampaye inka Rutetereza ! » Pour couron-
ner sa métamorphose, il avait décidé d'épouser
une Tutsi. Une famille de petits Tutsi lui avait
cédé une de ses filles. Une belle fille contre des

vaches. Son chef était devenu l'un des dirigeants du parti tutsi le plus conservateur. Il avait voulu suivre son chef. « Rutetereza, avait dit celui-ci, tu as fait ce que tu as pu, mais tu n'es toujours pas tutsi. Reste avec les tiens. » Il avait milité dans un parti hutu qui voulait conserver le roi. Mais le Parmehutu l'avait emporté et la république avait été proclamée. Comme il était d'une bonne famille hutu, qu'il avait été protégé par certains de ses frères engagés dans le parti vainqueur, il n'avait pas été inquiété. Mais il ne pouvait accéder à des postes importants, il resterait à jamais petit fonctionnaire, il y aurait toujours quelqu'un pour rappeler qu'il avait voulu se faire tutsi, kwihutura. Il n'en finirait jamais avec ceux qui, en plaisantant ou en menaçant, ce qui revenait au même, lui rappelaient sa trahison. Les gaver de brochettes de chèvre et de platrées de haricots, les abreuver de bière de bananes et de Primus, c'était le prix à payer pour redevenir hutu, kwitutsura, « se détutsiser ». La même suspicion pesait sur Modesta. Elle devait sans cesse rappeler aux autres qu'elle était une vraie Hutu, surtout à Gloriosa dont le nom claquait tel un slogan : Nyiramasuka, Celle-de-la-houe. Modesta devait être la meilleure amie de Gloriosa.

Malgré tout, quelque chose, elle ne savait pourquoi, la poussait irrésistiblement à livrer ses secrets à Virginia, ses vrais secrets, ceux qu'elle ne pouvait livrer aux autres. Elle avait fini par lui parler de ses cauchemars, du sang de ses règles qui obsédait ses rêves. Virginia n'avait d'abord rien dit. Elle ne savait que lui dire. Ce sont des choses dont on ne parle jamais au Rwanda. Au Rwanda, il y a tant de choses dont on ne doit jamais parler. Mais la confiance de Modesta l'avait touchée. Pouvait-elle être vraiment son amie ? Aujourd'hui elle l'était. Mais demain ? Elle s'était mise elle aussi à parler des règles. Cela faisait un peu peur de parler de ce que l'on devait absolument taire mais ce flot de paroles interdites lui était comme une délivrance. Oui, en cet instant, Modesta était vraiment son amie.

— Tu sais bien qu'on ne doit pas parler de ça. La petite fille ne comprend rien à ce qui lui arrive. Elle se croit maudite. Je ne sais pas si c'était comme cela avant les Européens, mais les missionnaires n'ont rien arrangé. Nos mères ne disent rien, c'est tabou comme diraient les professeurs. Il faut toujours que ce soit ta grande sœur ou une copine qui t'explique, qui te rassure comme elle peut. Sur ma colline, c'était comme ça, peut-être qu'en ville c'est différent. Ma meilleure amie, c'était Speciosa. Elle n'a pas réussi à l'examen national. Elle est restée au village. À l'école primaire, on était toujours ensemble. On s'amusait comme des folles, comme des garçons. Bien sûr, on aidait nos mères dans leurs champs, on portait le petit frère dans le dos, on était déjà des petites mamans. Mais ce qu'on aimait le mieux, c'était aller faire la lessive au lac. Pas comme le grand lac qu'on voit d'ici de temps en temps. Non, un petit lac au pied de ma colline.

« Pendant les grandes vacances, pendant la saison sèche, on part, toutes les filles de la colline, les jeunes filles d'un côté et les petites de l'autre. Il n'y a que deux ou trois intellectuelles qui ne veulent pas venir, qui disent qu'elles ont une réunion avec les étudiants, qu'elles doivent aller à la chorale à la mission. On ne s'occupe pas d'elles, on se moque d'elles. Les rives du lac sont tout encombrées de roseaux et de papyrus sauf là où on va chercher de l'eau et où on fait la lessive. Il faut tout de même faire attention : si un vieux tronc d'arbre échoué sur le sable se met à bouger, c'est un crocodile. On passe tout l'après-midi à laver et à battre le linge, puis on l'étend sur l'herbe qui est toujours verte, même en saison sèche. Alors on se déshabille et on se jette à l'eau, on s'asperge, on se frotte le dos, c'est bien autre chose que les douches du lycée, c'est triste les douches du lycée. Ensuite on va se sécher dans les papyrus. On reste toutes nues, cachées dans les papyrus à guetter les passants. On se moque d'eux...

« Mais un jour — c'était pendant les grandes vacances, j'étais au tronc commun, en sixième — je suis allée comme chaque matin chercher Speciosa. Elle ne m'attendait pas à l'entrée de l'enclos. J'ai vu sa mère courir vers moi en levant les bras au ciel. Elle m'a dit : « N'entre pas. Tu ne peux pas voir Speciosa, en ce moment personne ne peut voir Speciosa. » Je ne comprenais pas. Quelle maladie contagieuse avait bien pu attraper Speciosa ? J'ai insisté. Je lui répétais : « Speciosa est mon amie. Pourquoi est-ce que je ne pourrais pas la voir ? » Elle a fini par céder en disant que, de toute façon, bientôt, il m'arriverait ce qui est arrivé à Speciosa. Je suis entrée dans la maison. Speciosa était sur son lit. On avait ajouté une couche de paille fraîche. Quand Speciosa m'a vue, elle s'est mise à pleurer. Elle s'est soulevée. J'ai vu les herbes tout imprégnées de sang. « Tu vois, dit-elle, c'est mon sang. C'est comme ça que l'on devient femme. Tous les mois, je serai enfermée. Maman m'a dit que c'est comme ça pour les femmes. Elle prend la paille que j'ai souillée. Elle la brûle, en cachette, dans la nuit. Elle enterre profondément les cendres. Elle a peur qu'un sorcier vienne la voler pour ses maléfices et que nos champs se dessèchent et que moi et mes sœurs soyons stériles à cause de ce premier sang qui pourrait mettre toute la famille en péril. On ne pourra plus s'amuser comme avant. À présent, je suis une femme, avec un pagne de femme, je me sens vraiment malheureuse. » Nous n'avons plus jamais joué ensemble.

« Moi aussi, comme toi, j'ai eu mes premières règles à l'école. Mais, avant, à la maison, je ne comprenais pas pourquoi ma mère surveillait ma poitrine. Tu sais, à la campagne, on n'a qu'un petit morceau de tissu en guise de jupe. C'est le seul vêtement des petites filles. On est comme des garçons. On joue tous ensemble.

Quand j'ai eu dix ans, ma mère et les voisines ont commencé à m'épier. Leur regard scrutait ma poitrine, quand je dansais c'est ce qu'elles regardaient. Et dès que ma mère s'est aperçue qu'il y poussait comme des petits boutons, elle m'a dit de cacher ça. Elle m'a dit de ne pas montrer cela aux hommes. Même pas à mon père. Elle m'a donné une vieille chemise d'un de mes frères. Elle m'a montré comment je devais m'asseoir. Et surtout baisser les yeux quand on m'adressait la parole. « Il n'y a que les filles sans pudeur et les évoluées de Kigali qui regardent un homme en face », me répétait-elle. Cela a dû être la même chose pour toi. Mais à présent nous devrions nous réjouir de voir notre sang chaque mois. Cela veut dire aussi que nous sommes des femmes, de vraies femmes qui auront des enfants. Tu sais bien que, pour devenir de vraies femmes, il faut avoir des enfants. Quand on te marie, c'est ce qu'on attend de toi. Tu n'es rien dans ta nouvelle famille et pour ton mari, si tu n'as pas d'enfants. Il faut que tu aies des enfants, des garçons, surtout des garçons. C'est quand tu as des fils que tu es une vraie femme, une mère, celle que l'on respecte.

— Évidemment, je veux avoir des enfants comme les autres. Mais je veux des enfants qui ne soient ni hutu ni tutsi. Ni à moitié hutu ni à moitié tutsi. Je veux qu'ils soient mes enfants, c'est tout. Parfois je me dis qu'il vaudrait mieux que je n'aie pas d'enfants. Je pense à me faire religieuse comme sœur Lydwine. Avec leur voile et leur longue robe, j'ai l'impression que les sœurs ne sont plus des femmes comme nous. As-tu remarqué qu'elles n'ont pas de seins ? J'imagine que, lorsqu'on est religieuse, on n'a pas de règles non plus. Pour quoi faire ?

— Moi, je suis sûre que les sœurs ont des règles comme toutes les femmes. J'ai une cousine chez les Benebikira Maria : elle m'a dit qu'on leur distribue aussi des protections hygiéniques, comme à nous.

— En tout cas, je ne veux pas devenir comme ma mère, qu'on me traite comme on la traite. Mon père, depuis qu'il est redevenu hutu, il en a honte. Il la cache. Elle ne peut plus sortir de la maison. Ce n'est plus elle qui sert la bière aux amis que mon père reçoit encore. Il appelle mes petites sœurs. C'est tout juste s'il la laisse aller à la messe le dimanche, à la première messe, pas à la grand-messe. Il a même essayé de lui trouver un arrière-arrière-arrière-grand-père hutu, un chef hutu, un umuhinza. Tout le monde a bien ri quand il a raconté cela. Mes grands frères détestent leur mère, c'est à cause d'elle qu'ils ne sont pas comme les autres, qu'on les appelle des mulâtres, des Hutsi. Jean-Damascène, qui est militaire, dit qu'à cause d'elle il restera toujours lieutenant, qu'on ne lui fera jamais confiance. Il n'y a que moi qui lui parle encore, un peu en cachette, comme avec toi. Pour moi, elle n'est ni hutu ni tutsi, c'est ma mère.

— Il y aura peut-être un jour un Rwanda sans Hutu ni Tutsi.

— Peut-être. Mais attention, voilà Gloriosa, pourvu qu'elle ne nous ait pas vues ensemble.

— Va vite rejoindre ta meilleure amie, Modesta, va donc…

Les gorilles

Parmi tous les professeurs, M. de Decker avait deux particularités remarquables. La première était qu'il était le seul à avoir une épouse. Les autres, ou bien étaient célibataires — ce qui pouvait être le cas des jeunes Français — ou bien avaient laissé leurs femmes en Europe, celles-ci refusant peut-être de les suivre dans des montagnes si isolées. D'une certaine manière, Mme de Decker était la seule femme vraiment blanche au lycée Notre-Dame-du-Nil, car la mère supérieure et la sœur intendante n'étaient ni tout à fait des femmes ni tout à fait des Blanches : c'étaient des sœurs. Elles ne pouvaient se marier, elles n'auraient pas d'enfants, elles avaient perdu leurs seins. Elles étaient au Rwanda depuis si longtemps qu'on avait oublié leur couleur. Ni hommes ni femmes, ni blanches ni noires, elles étaient des êtres hybrides auxquels on avait fini par s'habituer comme, dans les paysages du Rwanda, les carrés de café ou les champs de manioc qu'au temps des Belges on nous avait contraints de planter. Quant à miss South, elle avait dû être une femme, mais elle n'était pas blanche, elle était rouge, c'était une Anglaise.

La femme de M. de Decker n'habitait pas toujours dans le bungalow avec son mari. Elle faisait de longs séjours à Kigali mais on savait bien quand elle était là. Le boy-lavader étendait alors sous l'auvent, derrière la villa, les vêtements de Madame. Les lycéennes rôdaient autour du bungalow pour admirer la garde-robe de Mme de Decker. Elles s'étonnaient du nombre de robes suspendues, les comptaient, les comparaient, certaines essayant de graver dans leur mémoire le modèle de celle qui leur plaisait tant, afin de le faire reproduire par le tailleur. La venue de Mme de Decker au lycée était toujours un événement attendu, guetté, commenté. On était comme soulagé de voir enfin au lycée Notre-Dame-du-Nil une vraie femme blanche et on en avait la preuve : Mme de Decker était blonde.

L'autre particularité de M. de Decker, c'étaient ses cours. Il était professeur de sciences naturelles. Sa classe, c'était l'arche de Noé. Tous les animaux de la terre y défilaient. Il projetait des diapositives sur un morceau de drap blanc fixé au tableau. Sans trop de commentaires, M. de Decker faisait apparaître successivement le lama du Pérou, le yack du Tibet, l'ours blanc du pôle, la vache frisonne, le dromadaire du Sahara, le jaguar du Mexique, le rhinocéros du Ngorongoro, le taureau de Camargue, le tigre de l'Inde,

le panda de Chine, le kangourou d'Australie…
Puis, à la fin du premier trimestre, venait le grand
jour : M. de Decker montrait ses propres photos,
celles qu'il avait prises, quasiment au péril de sa
vie, dans la forêt de bambous, au-delà des nuages,
sur la pente des volcans, les photos des gorilles.
Sur les gorilles, M. de Decker était intarissable.
C'était lui le spécialiste, le seul. Pour les observer,
au grand désespoir de sa femme, il escaladait
tous les week-ends le Muhabura ; pour eux, il
avait renoncé, cette année, à rentrer en Belgique
pour les grandes vacances. On aurait dit qu'il
avait toujours vécu en leur compagnie. Il était
au mieux avec le mâle dominant qui l'avait laissé
compter ses femelles. Il avait la reconnaissance
d'une mère dont il avait soigné les petits. Les
guides avaient beau lui recommander la prudence, tenter de le retenir, lui, il n'avait rien à
craindre des grands singes, il connaissait le
caractère de chacun des membres de la horde,
il savait prévoir leurs réactions, parvenait à communiquer avec eux. D'ailleurs il n'avait plus
besoin de guides. Les gorilles, concluait-il, c'était
la chance, le trésor, l'avenir du Rwanda. On devait
les protéger, agrandir au besoin leur territoire.
Le monde entier avait confié au Rwanda une
mission sacrée : sauver les gorilles !

Les discours de M. de Decker sur les gorilles
mettaient Goretti hors d'elle.
— Comment, explosait-elle, ce sont encore
les Blancs qui ont découvert les gorilles, comme

ils ont découvert le Rwanda, l'Afrique et toute la terre ! Et nous, les Bakiga, est-ce que nous n'avons pas toujours été les voisins des gorilles ? Et nos Batwa, est-ce qu'ils avaient peur d'eux quand ils les chassaient avec leurs petits arcs ? On dirait à présent que les gorilles n'appartiennent qu'aux Bazungu. Il n'y a qu'eux qui peuvent les voir, les approcher. Ils sont amoureux des gorilles. Au Rwanda, il n'y a d'intéressant que les gorilles. Tous les Rwandais doivent être au service des gorilles, les boys des gorilles, ne se préoccuper que des gorilles, ne vivre que pour eux. Il y a même une femme blanche qui vit parmi eux. Elle déteste tous les hommes, surtout les Rwandais. Elle vit toute l'année avec les singes. Elle a construit sa maison au milieu d'eux. Elle a ouvert un centre de santé pour les gorilles. Tous les Blancs l'admirent. Elle reçoit beaucoup d'argent pour les gorilles. Moi je ne veux pas laisser les gorilles aux Blancs. Ils sont aussi des Rwandais. On ne peut pas les laisser aux étrangers. J'ai le devoir d'aller les voir. J'irai. Les professeurs disent que les singes sont nos ancêtres. Cela met le père Herménégilde en colère. Ce n'est pas ce que raconte ma mère. Elle dit que les gorilles, autrefois, c'étaient des hommes, ils se sont enfuis dans la forêt, elle ne sait pas pourquoi, ils ont oublié d'être des hommes, à force de vivre dans la forêt ils sont devenus des géants couverts de poils mais, quand ils voient une jeune fille vierge, ils se souviennent qu'ils ont été des hommes, ils cherchent à l'enlever, mais les femelles, qui sont leurs épouses légitimes et bien entendu jalouses, les en empêchent violemment.

— J'ai vu cela au cinéma, interrompit Veronica, un singe immense qui tenait une femme dans sa main…

— Ce n'est pas du cinéma ce que je vous dis, je l'ai entendu de la bouche de ma mère. En tout cas, je dois aller rendre visite aux gorilles. On ne peut pas les laisser aux Blancs. Même à une femme blanche qui ne vit que pour eux. Est-ce qu'il y en a qui veulent venir avec moi ? On ira pendant les vacances de Noël. Je suis certaine que mon père m'aidera. Qui veut m'accompagner ?

Toutes attendirent la réaction de Gloriosa, mais celle-ci se contenta de hausser les épaules, d'éclater de rire et de murmurer quelques mots inaudibles qui, à l'évidence, devaient être désobligeants à l'égard des Bakiga. Ce fut Immaculée qui créa la surprise :

— Si je peux, si mon père me donne la permission, j'irai avec toi, tu peux compter sur moi.

Gloriosa foudroya du regard celle qui, devant toute la classe, venait de la trahir.

— J'en ai assez des tours à moto avec mon petit ami, expliqua Immaculée. Je veux quelque chose de plus excitant et puis, au moins, j'aurai quelque chose à lui raconter : je serai une fille qui n'a peur de rien, je serai une aventurière !

À la rentrée de janvier, on attendit avec impatience le récit que ne manqueraient pas de faire

Goretti et Immaculée de leurs aventures sur la montagne aux gorilles. Les « exploratrices », comme les appelait pour se moquer Gloriosa, se faisaient prier comme des vedettes. « Elles sont restées à Ruhengeri, ricanait Gloriosa, à boire de la Primus et à manger du poulet grillé en regardant au loin le Muhabura dans les nuages. » Mais, un soir après le dîner, Goretti invita toute la classe à venir l'écouter dans sa chambre.

— Alors, vous les avez vus les gorilles ?

— Évidemment on les a vus. On les a même touchés ou presque. Mon père nous a aidées et pourtant il est très occupé, en ce moment, il y a beaucoup de monde qui vient le voir au camp militaire de Ruhengeri, même le père d'Immaculée, c'est lui qui l'a conduite à Ruhengeri, il avait à parler avec mon père… Donc mon père a donné des ordres pour nous équiper : une jeep, quatre militaires, des rations. On a mis des tenues camouflées, les militaires ont bien ri quand ils ont vu Immaculée avec ses chaussures à talons hauts, alors ils nous ont donné des grosses chaussures comme eux : des rangers. Vous verrez les photos.

« Donc, au lever du jour, on est partis dans la jeep sur la pente du volcan, jusqu'à la forêt. C'est là qu'on devait trouver les guides. Ils n'étaient pas là. On est restés là longtemps à les attendre. Les militaires ont dressé deux tentes : une pour eux, une pour nous. Le chef des guides a fini par se présenter. Il avait l'air gêné. Il a dit : « Madame, la dame blanche, elle ne veut pas qu'on embête ses gorilles. Elle dit que les gorilles n'aiment pas les Rwandais, qu'ils en ont peur. Ils savent que c'est eux qui les tuent. Il n'y a que les Blancs qui savent y faire avec eux. C'est ce que dit ma patronne. Moi, je ne peux pas vous y conduire, elle me chasserait, je ne veux pas perdre mon salaire. J'entends déjà les cris de ma femme. Je ne peux pas vous empêcher de continuer, mais je ne serai pas votre guide. » Il a détalé à toutes jambes.

« On était désespérées. La dame blanche nous interdisait de rendre visite à nos gorilles. Alors un des soldats a parlé au sergent. Et le sergent est venu nous dire qu'il y avait peut-être un moyen d'aller voir quand même nos gorilles. Le soldat connaissait des Batwa, il savait où était leur campement. Si on leur donnait quelque chose, ils accepteraient sans aucun doute de nous mener jusqu'aux gorilles. On a repris la jeep, puis on s'est enfoncés dans la forêt. On a suivi le militaire. Les Batwa se sont enfuis quand ils nous ont vus arriver. Mais les militaires ont rattrapé un vieux qui courait moins vite que les autres. Le pauvre vieux, il tremblait. Immaculée et moi, on a essayé de le rassurer. Je lui ai dit qui j'étais, ce que l'on voulait. Heureusement, moi, je parle le kinyarwanda comme on le parle au Bukiga, vous ne devriez pas tant vous en moquer. Quand le vieux a fini par comprendre qu'on voulait voir les gorilles, il a rappelé les autres, on a commencé à discuter. Cela a été long. Mais je suis quand même la fille du colonel qui commande le camp militaire. Et il y avait les quatre militaires avec leurs fusils entre les jambes. On a fini par s'entendre. Deux chèvres. Une chèvre avant de partir qu'on confierait aux femmes et l'autre quand ils nous auraient conduits auprès des gorilles. On est revenus à nos tentes. Le sergent est parti avec la jeep acheter deux chèvres au marché le plus proche.

« Nous avons dormi sous la tente, comme de vrais soldats. Le lendemain matin, les Batwa sont revenus. Ils ont demandé :

« — Où sont les chèvres ?

« — Regardez, a dit le sergent.

« Ils les ont examinées, ont discuté longtemps. Celui qui semblait être le chef a dit qu'il voulait en manger une tout de suite avant d'aller nous conduire chez les gorilles. Le sergent a dit que ce n'était pas possible, qu'on l'attendait au camp le lendemain matin, que c'était maintenant qu'il fallait y aller. Les Batwa ne voulaient rien entendre, ils voulaient d'abord manger une des chèvres avant de partir, d'ailleurs ils avaient dit à leurs femmes et aux enfants d'aller chercher du bois pour le feu. Le sergent a dit que c'était le colonel qui avait donné l'ordre de conduire sa fille jusque chez les gorilles parce qu'elle voulait les voir. Les Batwa se sont tournés vers moi et se sont mis à rire. « Maintenant, ce sont aussi les femmes noires qui veulent voir les gorilles ! » Alors je leur ai proposé que, s'ils nous conduisaient immédiatement aux gorilles, je leur donnerai une troisième chèvre.

« — Bon, on y va, a fini par dire le chef, je crois que tu es vraiment la fille du colonel, mais n'oublie pas, c'est toi qui nous as promis une troisième chèvre. Le malheur soit sur toi si tu ne nous la donnes pas !

« Nous nous sommes enfoncés dans la forêt. Il n'y avait pas de sentier. Les Batwa nous ouvraient un passage avec leurs machettes. « Les sentiers, disaient-ils, c'est pour les Bazungu, nous autres, nous sommes les fils de la forêt, une mère peut-elle égarer ses enfants ? » Nous avons marché deux heures, peut-être trois, je ne sais plus. Les Batwa progressaient très vite, sans se retourner pour voir si nous suivions. On trébuchait à chaque pas. Des branches, des lianes nous cinglaient le visage. Les soldats eux-mêmes étaient inquiets, ils craignaient que les Batwa ne les entraînent dans je ne sais quelle embuscade.

« Et puis soudain, le chef des Batwa s'est accroupi et nous a fait signe de l'imiter. Il a fait un drôle de bruit avec ses lèvres, il a cueilli une petite tige de bambou qu'il a agitée, comme pour un salut. Alors, entre les arbres, on a vu : ils étaient là, les gorilles, une dizaine, je n'ai pas bien compté, le plus grand, le chef de la famille, regardait dans notre direction.

« — Baissez la tête, murmura un mutwa, ne le regardez pas, montrez-lui qu'il est le maître, que vous vous soumettez, je crois qu'il n'aime pas votre odeur.

« J'ai enfoncé mon nez dans la terre comme les Swahili du quartier de Nyamirambo quand ils font leur prière. Le grand gorille s'est levé en poussant un grondement. Vraiment, il était immense. "Ça va, dit le mutwa, il m'a reconnu, il est satisfait, mais ne bougez pas."

« J'ai quand même relevé la tête et j'ai eu le temps de bien les observer : le grand chef, qui était toujours en sentinelle, et les femelles et les petits. Est-ce que je mens, Immaculée ? Est-ce qu'on ne les a pas vus de tout près ? Comme si on les touchait.

— Bien sûr qu'on les a vus. Les mamans gorilles faisaient cercle pendant que le chef de famille nous tenait à l'œil. Les petits jouaient au milieu, gambadaient, y allaient de leurs pirouettes, venaient téter leur mère, se faisaient épouiller. Les mamans mâchaient des pousses de bambou pour les donner à manger à leurs petits comme nos grands-mères avec le sorgho. Alors j'ai pensé à ce que racontait la mère de Goretti : qu'autre-fois les gorilles étaient des hommes. Moi, j'ai une autre histoire à proposer : c'est que les gorilles ont refusé d'être des hommes, ils étaient presque des hommes, mais ils ont préféré rester des singes dans leur forêt, tout en haut des volcans. Quand ils ont vu que d'autres singes comme eux étaient devenus humains, mais qu'ils étaient aussi devenus méchants, cruels, qu'ils passaient leur temps à s'entre-tuer, ils ont refusé de se faire hommes. C'est peut-être ça le péché originel dont parle tout le temps le père Her-ménégilde : quand les singes sont devenus des hommes !

— Immaculée philosophe, miss Rwanda fait de la théologie ! C'est trop drôle, on aura tout entendu, ricana Gloriosa, tu devrais écrire cela dans ta prochaine dissertation, cela intéressera le père Herménégilde !

— Et puis, continua Goretti sans prêter attention aux sarcasmes de Gloriosa, les Batwa nous ont fait signe qu'il fallait nous retirer sans faire de bruit, ils ont dit que le grand mâle commençait à s'énerver, je crois aussi qu'ils avaient envie d'aller manger leurs chèvres. On est revenus au campement. On est allés chercher la troisième chèvre. Les Batwa ont composé une chanson en l'honneur des trois chèvres et on est rentré au camp militaire. Les officiers nous ont félicitées pour notre audace : il n'y a pas que les femmes blanches qui sont capables de rendre visite aux gorilles.

Tout l'auditoire applaudit au récit des deux « exploratrices ».

— Mais, demanda Gloriosa, vous dites qu'il y avait beaucoup de monde au camp militaire, vous savez pourquoi ? Et toi, Immaculée, qu'est-ce que ton père avait à faire à Ruhengeri, chez les Bakiga ?

— Il allait acheter des pommes de terre, répondit Immaculée, il ne veut plus que les grosses pommes de terre de Ruhengeri, les intofanyi : les petites, celles de Gitarama, celles des Banyanduga, qui ne sont pas plus grosses que des orteils, ça le dégoûte.

Sous le manteau de la Vierge

« Le père Herménégilde, disait la mère supérieure quand elle présentait l'aumônier et professeur de religion à des visiteurs, le père
Herménégilde, c'est la charité même, si vous
saviez le temps qu'il consacre, lui qui a tant de
responsabilités et de charges, aussi bien spiri-
tuelles que matérielles, à vêtir avec décence les
pauvres paysans de la commune ! » Le père Herménégilde était en effet le correspondant pour
Nyaminombe du Catholic Reliefs Service. Chaque
mois, un camion de l'organisation humanitaire
venait livrer de gros ballots de fripes que les boys
emmagasinaient dans un hangar cédé de mauvais gré par le frère Auxile à l'aumônier pour
son œuvre charitable. Personne ne comprenait
pourquoi le sigle CRS que portaient les bâches
des camions faisaient tant rire les professeurs
français. Une partie des vêtements était donnée
au père Angelo qui les redistribuait à la paroisse
et dans ses succursales, une autre était revendue
aux marchands fripiers du marché, l'argent

récolté servant à acheter du tissu bleu et kaki pour les uniformes des enfants des écoles primaires de Nyaminombe. Le père Herménégilde se réservait quelques habits, des robes principalement, pour ses œuvres personnelles.

Pour trier les vêtements, le père Herménégilde sollicitait l'aide des lycéennes et s'adressait avant tout, en début d'année, aux nouvelles de la seconde encore impressionnées par l'univers inconnu du lycée où elles faisaient leurs premiers pas. « Montrez votre bon cœur, leur prêchait-il, vous qui êtes l'élite féminine du pays, c'est de votre devoir d'œuvrer au développement de la masse paysanne, aidez-moi à vêtir ceux qui sont nus. » Les élèves se sentaient obligées de se présenter, le samedi après-midi, à l'entrée du hangar, bien peu osaient se défiler. Après les avoir longuement remerciées de tant de bonne volonté, le père Herménégilde finissait par désigner les volontaires. Les Tutsi du quota étaient embauchées en priorité avec d'autres filles au physique particulièrement avenant. S'y ajoutaient quelques habituées des années précédentes qui jaugeaient avec dédain et ironie les nouvelles élues. Le travail consistait donc à faire le tri des fripes : un tas de vêtements pour enfants, un tas de vêtements pour femmes, un tas de vêtements pour hommes. On ne savait trop que faire des grosses vestes fourrées, des manteaux matelassés, des casquettes à oreillettes. « Ce sera pour les vieux, disait le père Herménégilde, ils ont toujours froid. » Dans le tas de vêtements pour femmes, il prélevait « pour ses œuvres » les plus belles robes, les plus beaux chemisiers et même quelques sous-vêtements garnis de dentelles. « Ce sera aussi pour votre récompense », promettait-il pour stimuler le zèle de sa troupe.

La récompense, c'était chez le père Herménégilde, dans son bureau qui était aussi sa chambre, qu'il fallait la recevoir. Veronica, alors qu'elle était en seconde, se l'était vu attribuer l'une des premières. À la fin du cours de religion, le père Herménégilde l'avait retenue. Une fois toutes les élèves sorties, il lui avait dit : « J'ai remarqué que tu as particulièrement bien travaillé samedi dernier. Cela mérite récompense. Viens me voir, ce soir, à mon bureau, en sortant du réfectoire. J'ai réservé quelque chose pour toi. » Veronica n'attendait rien de bon de la « récompense ». Les anciennes en parlaient parfois à voix basse et se moquaient ou s'indignaient de celles qui avaient été récompensées et surtout celles qui l'étaient trop fréquemment. Veronica n'avait personne à qui demander conseil, d'ailleurs, elle le savait bien : elle était tutsi et il aurait été trop imprudent pour elle de ne pas aller recevoir la « récompense » que lui avait promise le père Herménégilde.

En sortant du réfectoire, elle s'efforça de monter sans se faire voir au premier étage où se trouvait, tout au bout du couloir, le bureau du père Herménégilde. Elle se sentait observée par

toutes les autres qui, de toute façon, ne manqueraient pas de remarquer son absence à l'étude.
Elle frappa à la porte du bureau le plus discrètement qu'elle put.

— Entre, entre vite, lui répondit une voix
dont la bienveillance précipitée la surprit.

Le père Herménégilde était assis derrière un
grand bureau noir sur lequel, au pied d'un cru-
cifix au Christ d'ivoire, étaient éparpillés quelques
feuillets, peut-être les brouillons de ses cours ou
de ses sermons, se dit Veronica. Derrière lui,
sous les photos du président et du pape, la statue
de la Vierge de Lourdes, repeinte aux couleurs
de Notre-Dame du Nil, surmontait un rayon-
nage rempli de livres et de dossiers. À droite, un
rideau noir fermant un retrait dissimulait sans
doute le lit de l'aumônier.

— Je t'ai fait venir, lui dit le père Herménégilde, car tu as bien mérité ta récompense. Je
t'ai observée de près, j'ai apprécié ta façon de
travailler, évidemment tu es une Tutsi, mais
quand même, je crois que tu es une belle… une
bonne fille. Regarde sur le fauteuil à côté de toi,
je t'ai choisi une jolie robe.

Sur l'un des fauteuils réservés aux visiteurs,
était étalée une robe rose au décolleté ajouré de
dentelles. Veronica ne savait que faire ni que
dire et n'osait s'approcher du fauteuil et de la
robe.

— C'est pour toi, c'est pour toi, n'aie pas
peur, insistait le père Herménégilde, mais d'abord
je veux m'assurer qu'elle te va, qu'elle est à ta

taille, tu vas d'abord l'essayer, là, devant moi, je veux m'assurer que c'est bien ta taille, sinon je t'en chercherai une autre.

Le père Herménégilde s'était levé, avait fait le tour du bureau, avait pris la robe et la tendait à Veronica. Celle-ci s'apprêtait à la passer au-dessus de son uniforme comme l'exige la pudeur rwandaise.

— Non, non, non, dit le père Herménégilde, en lui reprenant la robe, ce n'est pas comme ça que tu dois essayer une si belle robe. Je veux savoir si elle est exactement à ta taille : pour le savoir, il faut que tu enlèves ton uniforme, c'est comme cela que l'on essaye une belle robe.

— Mais mon père, mon père...

— Fais ce que je dis, avec moi as-tu quelque chose à craindre ? As-tu oublié que je suis un prêtre ? Les yeux d'un prêtre ignorent la concupiscence. C'est comme s'ils ne te voyaient pas. Et puis tu ne seras même pas toute nue... pas tout à fait... pas encore. Allons, s'énervait-il, n'oublie pas qui tu es, tu veux rester au lycée, je pourrais... Dépêche-toi d'enlever cet uniforme.

Veronica fit tomber la robe bleue de son uniforme à ses pieds et se retrouva seulement vêtue de son soutien-gorge et de sa petite culotte sous le regard du père Herménégilde qui ne semblait pas pressé de lui tendre la « récompense ». Il retourna s'asseoir dans le fauteuil et contempla longuement Veronica qui implorait :

— Mon père, mon père...

Le père Herménégilde se leva enfin, s'approcha au plus près de Veronica, lui tendit la robe rose et, sous prétexte de remonter la fermeture Éclair dans le dos, dégrafa son soutien-gorge.

— C'est mieux ainsi, lui murmura-t-il, pour le décolleté, c'est bien mieux.

Il prit un peu de recul et alla se rasseoir dans son fauteuil.

— Bien sûr, elle est un peu large, commenta-t-il gardant la robe d'uniforme et le soutien-gorge sur ses genoux, mais cela ira quand même. La prochaine fois, je t'en trouverai une qui sera exactement à ta taille. Enlève cette robe et remets ton uniforme.

Veronica attendit un long moment, les bras croisés sur sa poitrine, avant que le père Herménégilde ne lui rende la robe bleue et le soutien-gorge dont il s'était emparé.

— Va vite rejoindre tes camarades, ne dis rien, ne montre pas ta robe, tu ferais des jalouses, tu es allée te confesser, c'est ce qu'il faudra dire. Mais je n'ai pas aimé ta petite culotte en coton, la prochaine fois, je t'en apporterai une avec des dentelles.

Veronica ne fut plus jamais récompensée par le père Herménégilde. Frida avait pris sa place. Dès le premier soir, elle avait demandé une petite culotte en dentelle. Le reste se passait derrière le rideau noir.

Toute une année, Frida demeura la favorite attitrée du père Herménégilde, ce qui n'empêchait pas l'aumônier d'attribuer de temps à autre ses « récompenses » à d'autres élèves tout aussi méritantes que complaisantes. Mais l'année suivante, Frida montra d'autres ambitions. Elle passait ses vacances à Kinshasa auprès de son père qui était premier secrétaire à l'ambassade. Celui-ci considérait sa fille comme l'ornement des réceptions et des dîners de l'ambassade. À Kinshasa, on danse jusqu'au bout de la nuit et Frida y obtint beaucoup de succès. Son teint clair, sa grâce opulente et ses formes généreuses étaient dans le goût zaïrois. S'y ajoutait l'attrait d'un peu d'exotisme puisqu'elle était rwandaise. Aussi on ne fut pas peu surpris quand on s'aperçut que c'était un petit homme d'âge mûr qui avait les faveurs de la fille du premier secrétaire de l'ambassade du Rwanda. Il est vrai que Jean-Baptiste Balimba pratiquait encore la « sap » zaïroise : veston cintré, pantalon à pattes d'éléphant, gilet flamboyant. Il est vrai aussi qu'il était riche et qu'on le disait proche de l'entourage du président Mobutu. Le père de Frida favorisait ouvertement la liaison de sa fille considérant qu'elle ne pouvait que favoriser sa carrière diplomatique. Des fiançailles officieuses furent même célébrées en attendant qu'aboutissent les négociations pour un possible mariage. Évidemment, des rumeurs prétendaient que Jean-Baptiste Balimba avait d'autres épouses disséminées au long du fleuve Zaïre — naguère Congo — et jusqu'au Katanga — à présent Shaba. Le père pouvait craindre que sa fille ne soit qu'un « bureau de plus ». Et un bureau ne dure qu'un temps. Pour prouver sa sincérité, Balimba demanda quelques mois plus tard et obtint sans plus de difficultés le poste d'ambassadeur à Kigali. Il déclarait à qui voulait l'entendre qu'il aurait pu évidemment prétendre à des postes d'une tout autre importance, mais que c'était pour être au plus près de sa fiancée, laquelle, sur l'insistance de son père, devait tout de même terminer ses études au lycée Notre-Dame-du-Nil.

La rumeur des fiançailles de Frida fit sensation à Kigali comme au lycée Notre-Dame-du-Nil où le père Herménégilde renonça, pour des raisons évidemment patriotiques, à poursuivre Frida de ses « récompenses ». Celle-ci se montrait d'ailleurs d'une arrogance insupportable envers ses camarades et allait jusqu'à défier Gloriosa qui ravalait, impuissante, son exaspération. Mais c'est au début de cette troisième année, quelques semaines après la rentrée, que Frida déclencha dans tout le lycée stupeur et indignation et, pour beaucoup, envie et admiration.

Un samedi, alors que les averses succédaient aux averses en prélude à la saison des pluies, une caravane de quatre Land Rover franchit le portail du lycée et s'arrêta devant le Bungalow. Le chauffeur de la première voiture se précipita pour ouvrir la portière arrière et un petit homme, vêtu d'une saharienne et d'un pantalon blanc,

Son Excellence l'ambassadeur Balimba, descendit du véhicule. Il salua distraitement la sœur intendante qu'on avait postée là pour accueillir l'illustre visiteur. La sœur intendante pria Son Excellence de bien vouloir excuser la mère supérieure qui avait tant d'occupations mais qui recevrait Son Excellence, s'il le voulait bien, après la grand-messe, à laquelle, bien entendu, Son Excellence ne manquerait pas d'assister.

Tandis que la sœur intendante faisait visiter le Bungalow à l'ambassadeur, les boys de celui-ci, en uniforme galonné, déchargeaient d'énormes cantines et investissaient bruyamment les pièces de la villa, déplaçant les meubles, entassant dans la cuisine victuailles et alcools, dépliant des fauteuils de toile dans le salon, plaçant sur un chevalet le portrait du président Mobutu, montant dans la chambre de Monseigneur un grand lit au chevet en forme de coquille liserée d'un filet d'or, sur lequel on empila des coussins de toutes dimensions et de toutes couleurs. L'un d'eux installa sur la terrasse un énorme transistor qui déversa aussitôt un flot assourdissant de rumbas en direct de Kinshasa.

— Frida, ma fiancée, n'est pas là, dit l'ambassadeur, allez vite me la chercher.

Oubliant dans son affolement de frapper à la porte, la sœur intendante fit irruption dans le bureau de la mère supérieure qui s'entretenait avec le père Herménégilde et sœur Gertrude.

— Ma Mère, ma Révérende Mère, si vous

saviez... vous entendez cette musique... une musique de filles légères... au lycée Notre-Dame-du-Nil !... Ah ! ma Mère, si vous voyiez ce qui se passe au Bungalow, l'ambassadeur congolais, il bouleverse tout, il a déplacé le lit de Monseigneur, il a mis à sa place une couche pour la luxure, la dépravation... Et il veut qu'on lui amène Frida ! Mon Dieu !

— Calmez-vous, ma sœur, calmez-vous, croyez bien que je désapprouve tout cela, mais il y a des choses qui nous dépassent, qu'il nous faut accepter, espérons-le : un mal pour un plus grand bien...

— Écoutez, ma sœur, interrompit le père Herménégilde, comme le dit notre mère supérieure, c'est pour le bien du pays que nous souffrons des désordres créés par Son Excellence l'ambassadeur du Zaïre. C'est moi-même qui, à la rentrée, ai conseillé à notre mère supérieure d'accéder aux demandes de Son Excellence, elle a d'ailleurs reçu une lettre du ministère des Affaires étrangères en ce sens. Comprenez-nous, c'est pour le Rwanda que nous acceptons cela, ce petit pays que vous aimez tant, comme votre patrie, et peut-être un peu plus. Lorsque j'étais au séminaire, j'ai lu un livre à propos des Juifs, un livre secret écrit par les Juifs eux-mêmes, je ne sais pas qui l'a dévoilé. Les Juifs écrivaient qu'ils voulaient conquérir le monde, qu'ils avaient un gouvernement secret qui tirait les ficelles de tous les autres gouvernements, qu'ils s'infiltraient partout. Eh bien moi, je vous le dis, les Tutsi, c'est comme les Juifs, il y a même des missionnaires, comme le vieux père Pintard, qui disent que ce sont vraiment des Juifs, que c'est dans la Bible. Ils ne veulent peut-être pas conquérir le monde mais ils veulent s'emparer de toute la région. Je sais qu'ils ont le projet d'un grand empire hamite, que leurs chefs se réunissent en secret, comme les Juifs. Leurs réfugiés sont partout, en Europe, en Amérique. Ils ourdissent tous les complots possibles contre notre révolution sociale. Bien sûr, nous les avons chassés du Rwanda et ceux qui sont restés, leurs complices, nous les avons à l'œil, mais un jour il faudra peut-être aussi s'en débarrasser, à commencer par ceux qui parasitent nos écoles et notre université. Notre pauvre Rwanda est encerclé par tous ses ennemis : au Burundi, les Tutsi sont au pouvoir, ils massacrent nos frères, en Tanzanie ce sont des communistes, en Ouganda les Bahima sont leurs cousins. Heureusement nous avons pour nous soutenir notre grand voisin, notre frère bantu…

— Mon père, mon père, dit la mère supérieure, pas de politique, pas de politique, essayons simplement d'éviter le scandale, de tenir éloignées nos filles innocentes.

— Mais, dit le père Herménégilde, Frida et l'ambassadeur sont fiancés. Disons qu'ils viennent ici pour la préparation au mariage, je suis l'aumônier du lycée… Sœur Gertrude, allez prévenir Frida que son fiancé l'attend. Moi, j'irai leur rendre visite dans la soirée et je ramènerai Frida pour le réfectoire.

Peu de temps avant la sonnerie qui appelait au réfectoire, le père Herménégilde se présenta devant le perron du Bungalow. Il s'adressa aux deux gardes en treillis militaire qui étaient assis sur les marches.

— Veuillez prévenir Son Excellence que je désire lui parler et que je viens pour ramener la jeune fille au lycée.

— L'ambassadeur ne reçoit personne, répondit l'un des gardes en swahili, et il a dit que la fille resterait là pour la nuit.

— Mais je suis le père Herménégilde, l'aumônier du lycée, et Frida doit rentrer au lycée pour le souper comme toutes les autres élèves. Je dois parler à Son Excellence.

— Pas la peine d'insister, dit le garde, c'est M. l'Ambassadeur qui a décidé que la fille resterait là pour la nuit, vous pouvez vous en retourner.

— Mais la jeune fille ne peut pas rester là toute la nuit. C'est une élève, il faut…

— On vous le dit encore une fois : pas la peine d'insister, répéta l'autre garde qui en se levant révéla au père Herménégilde son imposante stature, la petite est d'accord, il ne faut pas déranger.

— Mais, mais…

— J'ai dit que ce n'était pas la peine d'insister,

la petite est avec son fiancé, M. l'Ambassadeur est venu pour ça.

Le gigantesque gardien descendait lentement l'escalier et s'avançait, menaçant, vers le père Herménégilde.

— C'est bien, c'est bien, dit le père Herménégilde en reculant, présentez mes hommages à Son Excellence et souhaitez-lui bonne nuit, je le verrai demain.

Frida resta dans le Bungalow en compagnie de son fiancé jusqu'au dimanche après-midi. Quand le convoi de Land Rover s'ébranla, on vit Frida, sur la dernière marche du perron, faire de grands signes d'adieu jusqu'à ce que les voitures disparaissent au premier virage de la piste. Depuis le jardin, une petite foule d'élèves, tenue à distance par les menaces de sœur Gertrude à la tête d'une brigade de boys, avait assisté à la scène et quand Frida, avec une nonchalance affectée, se fraya difficilement un passage à travers l'attroupement de ses camarades, elle ne daigna répondre à aucune des questions dont on la pressait.

— Ma Mère, ma Révérende Mère, dit la sœur intendante en entrant dans le bureau de la mère supérieure, si vous voyiez… le Bungalow ! dans quel état ! et la cuisine… et le lit de Monseigneur…

— Calmez-vous, ma sœur, ils ne reviendront plus. J'ai négocié avec M. l'Ambassadeur. Je l'ai raisonné. Il a reconnu qu'il lui serait difficile de venir chaque samedi et dimanche au lycée, il a ses obligations diplomatiques et avec la saison des pluies, ai-je ajouté, la piste devient mauvaise, il risque même de se trouver bloqué. Il est tombé d'accord. Alors voilà ce dont nous sommes convenus : tant que ce sera possible, une voiture de l'ambassade viendra chercher Frida le samedi et la ramènera le dimanche... ou peut-être... parfois le lundi. Enfin, après tout, ils sont fiancés, comme dit le père Herménégilde... et il faut rendre à César...

Pendant plusieurs semaines, une voiture de l'ambassade vint attendre chaque samedi Frida à la sortie du réfectoire de midi. La même voiture la ramenait au lycée tard dans la nuit du dimanche au lundi, soit le plus souvent dans la matinée du lundi. La mère supérieure, les surveillantes faisaient semblant de ne pas entendre le grincement du portail qui s'ouvrait au milieu de la nuit et les professeurs de ne rien voir quand soudain Frida interrompait le cours pour s'installer bruyamment à sa place sous les murmures réprobateurs de ses camarades. Mais Frida avait fini par sortir de son dédaigneux silence : elle ne résistait plus au désir d'éblouir ses camarades par le récit enthousiaste de la vie inimitable qu'elle menait auprès de son fiancé. Pour se réconcilier avec celles qu'elle avait si longtemps méprisées et qui lui resteraient, quoi qu'elle fasse, sournoisement hostiles, elle rapportait de

la capitale tout un panier de friandises : des beignets comme seules savent les faire les mamas
swahili et surtout, plus exotiques, des brioches
et des petits pains du boulanger grec et des
bonbons de Chez Christina, le magasin pour les
Blancs. Il y avait toujours de la Primus et même
parfois une bouteille de vin, du mateus de préfé-
rence. À peu près toute la classe réussissait à
s'entasser dans la « chambre » de Frida, même
les deux Tutsi du quota y étaient invitées. Quand
sonnait le couvre-feu, la surveillante, qui avait sa
part du festin, n'osait pas interrompre la fiancée
de Son Excellence M. l'Ambassadeur. Frida faisait
et refaisait l'inventaire de la garde-robe qu'elle
possédait à l'ambassade du Zaïre, elle employait
des mots qui impressionnaient son auditoire :
robe de soirée, robe de cocktail, jupe-culotte,
déshabillé, nuisette… Elle apportait quelquefois
l'une de ces prestigieuses tenues et la passait
pour l'émerveillement, feint ou sincère, de toutes.
Elle énumérait à l'adresse d'Immaculée, considérée comme la spécialiste des soins de beauté,
les produits que lui avait recommandés l'ambassadeur Balimba pour éclaircir la peau : déma-
quillant, fond de teint, lotion aux quatre fleurs
d'Orient, etc. Il voulait la fiancée la plus blanche.

— Et les bijoux ? lui demandait-on anxieuse-
ment.

Bien sûr, M. l'Ambassadeur avait offert des
bijoux à sa fiancée : une bague de fiançailles avec
un gros diamant (au Zaïre, on marche sur les
diamants), des bracelets en or, en vieil ivoire,

des colliers de perles, de pierres précieuses, mais son fiancé lui interdisait de les porter hors de l'ambassade. « Cela ne peut qu'attirer les bandits, et il y en a tant à Kigali ! Le risque est grand : une main pour une simple bague, un bras pour un bracelet, expliquait-il, et les militaires et les gendarmes aux barrages sur les routes, on ne sait jamais qui ils sont vraiment. » En l'absence de Frida, les bijoux restaient rigoureusement enfermés dans l'énorme coffre de l'ambassade.

— Et ta dot ? Qu'est-ce que ton père a négocié pour ta dot ?

— Soyez rassurées, ce ne sera ni des chèvres ni des vaches mais de l'argent, beaucoup d'argent ! Mon père et mon fiancé vont s'associer pour créer une entreprise de transport. Balimba apporte tout l'argent, des capitaux comme il dit, ils vont acheter des camions, des camions-citernes qui feront le transport entre Mombasa et Kigali, mais ils ne s'arrêteront pas à Kigali, ils iront aussi jusqu'à Bujumbura, jusqu'à Bukavu, mon fiancé connaît le directeur des douanes.

— Ah ! continuait Frida, si vous saviez quelle vie je mène avec Son Excellence-monsieur-l'ambassadeur-du-Zaïre-mon-fiancé. On va dans tous les bars, celui de l'hôtel des Mille Collines, celui de l'hôtel des Diplomates. Et chez l'ambassadeur de France on mange du corned-beef bien meilleur que celui que la sœur intendante nous donne pour le pèlerinage, et chez celui de Belgique on mange les coquillages de la mer : je n'ai pas osé, ce n'est tout de même pas une nourriture de Rwandais… Et on ne boit jamais de la Primus, on boit la bière des Blancs, quand on débouche une bouteille, et pas besoin d'ouvre-bouteille, elle explose comme le tonnerre et il en sort de la mousse comme la fumée du Nyira-gongo.

— Tu crois que mon père ne connaît pas le champagne, coupa Gloriosa, il en a toujours dans son bureau pour les visiteurs, les importants, il m'en a même fait goûter.

— Et moi, dit Godelive, tu crois que je ne connais pas les moules, je suis née en Belgique mais j'étais trop petite pour en manger, mon père en parle souvent, il dit que les Belges ne consomment que ça et, quand il part pour Bruxelles, ma mère lui fait promettre de ne jamais en manger.

Frida n'entendait pas les perturbatrices :

— L'après-midi, s'il y a du soleil, on ne fait pas la sieste, on prend la voiture rouge, la décapotable, le bolide, on sort de Kigali et on fonce sur les petites pistes, tout le monde s'enfuit, les femmes, les enfants, les chèvres, les hommes en vélo zigzaguent, perdent leur chargement de bananes et s'étalent dans le fossé. On cherche un coin tranquille. C'est rare au Rwanda. Un reboisement d'eucalyptus. Des rochers sur une crête. On s'arrête. J'appuie sur un bouton. La capote se déplie. Vous savez, les fauteuils de la petite voiture rouge, c'est comme un lit…

Aux grandes pluies de novembre, un glissement de terrain qui emporta tout à la fois les bananiers, les maisons et leurs habitants coupa pour plusieurs semaines la route qui menait au lycée. Dans le même temps, Frida fut prise de nausées, de vomissements, d'étourdissements. Elle refusait de toucher au boulgoul quasi quotidien du réfectoire et ne voulait manger que le corned-beef de l'ambassade de France. Le fiancé prévenu réussit, on ne sait comment, à lui en faire parvenir un carton. Elle voulut en faire goûter à ses meilleures amies. Celles-ci étaient méfiantes. Goretti s'empara discrètement d'une des boîtes que Frida avait vidée et alla demander à M. Legrand, le professeur français à la guitare, ce que pouvait être cette sorte de nourriture. M. Legrand lui expliqua que cela provenait d'un grand oiseau blanc. On le forçait à manger jusqu'à le rendre malade. On mangeait sa maladie. Toutes les filles trouvèrent cela dégoûtant. Seules Immaculée, Gloriosa, Modesta et Godelive, sur l'insistance de Frida, acceptèrent d'en goûter. Elles constatèrent que c'était un peu mou, que ça ressemblait à de la terre ou plutôt, dit Goretti, à l'herbe qui remplit la panse de la vache et que les Batwa réclament quand on en tue une, en tout cas, c'était vraiment une nourriture de Blancs et, dans les nourritures de Blancs, elles préféraient de loin le fromage Kraft et le corned-beef bien rouge de la sœur intendante.

Il était évident pour toutes que Frida était enceinte, d'ailleurs elle ne s'en cachait pas, elle était fière de sa grossesse, pourtant si honteuse pour sa famille avant mariage.

— Son Excellence, mon fiancé, veut un garçon, jusqu'à présent il n'a eu que des filles : moi, j'aurai un garçon.

— Il a d'autres femmes alors ? insinuait Gloriosa.

— Mais non, mais non, se rassurait Frida, ou elles sont mortes ou il les a répudiées.

— Et comment sais-tu que tu auras un garçon ?

— Cette fois, Balimba a pris toutes les précautions. Il a été consulter un grand devin dans la forêt. Cela lui a coûté très cher. Le devin lui a dit que, pour tromper le mauvais sort que ses ennemis avaient jeté sur lui et qui faisait qu'il ne pouvait engendrer que des filles, il devait épouser une fille qui viendrait de l'autre rive d'un lac au-dessous des volcans. Les maléfices des empoisonneurs zaïrois ne pourraient rien contre elle. Il lui a donné tous les talismans nécessaires pour avoir un garçon, tous les dawa dont il avait le secret, pour lui et pour moi. Moi, je dois porter sur le ventre une ceinture de perles et de coquillages. C'est pour avoir un garçon. Mon fiancé est certain que j'accoucherai d'un garçon.

— Tu devrais faire bénir ton ventre par le père Herménégilde, dit Godelive, je crois qu'il connaît lui aussi toutes les prières pour avoir des bébés ou surtout pour ne pas en avoir.

Bientôt l'état de Frida s'aggrava, elle ne voulait

plus se lever, elle se plaignait de violentes douleurs au ventre. La mère supérieure s'inquiétait, s'indignait d'avoir à abriter dans son lycée la grossesse d'une fille dont le mariage n'avait pas encore été célébré selon les rites du sacrement de l'Église. « C'est péché, c'est péché », répétait-elle au père Herménégilde qui essayait en vain d'apaiser ses lancinants scrupules : « Ils sont fiancés, ma mère, ils sont fiancés et j'entendrai Frida en confession, je lui donnerai l'absolution. » La mère supérieure ne cessait de se lamenter : « Mon père, avez-vous pensé aux autres élèves innocentes, le lycée Notre-Dame-du-Nil transformé en foyer pour filles mères, scandale ! scandale ! »

La mère supérieure envoyait message sur message à l'ambassadeur, le priant instamment de venir chercher Frida, exagérant chaque fois un peu plus la gravité et l'urgence de son état. Balimba finit par dépêcher une puissante Land Rover qui, passant par des sentiers jugés jusque-là impraticables à tout véhicule, réussit à rallier le lycée et à ramener Frida à Kigali.

La nouvelle de la mort de Frida plongea le lycée Notre-Dame-du-Nil dans un profond désarroi. La mère supérieure décréta une semaine de deuil pendant laquelle on prierait pour l'âme de Frida et, en clôture, on irait, le dimanche, en pèlerinage à Notre-Dame du Nil pour que celle-ci accueille cette pauvre petite âme sous son grand manteau de miséricorde. Le père Herménégilde décida de célébrer chaque matin de cette semaine une messe dans la même intention. Toutes les classes, les unes après les autres, devaient y assister. La présence de la classe terminale était, quant à elle, obligatoire à toutes. Le célébrant faisait l'éloge funèbre de la défunte insinuant au passage qu'elle avait sacrifié sa pureté et sa jeunesse au service du peuple majoritaire. Pourtant, lui-même et la mère supérieure ne pouvaient cacher un certain soulagement. Après tout, le drame ne s'était pas déroulé au lycée, le décès de Frida, si regrettable fût-il, mettait fin à l'exemple scandaleux d'une élève enceinte tolérée dans l'établissement. Des allusions à un possible châtiment divin qui se serait abattu sur la pécheresse étaient prudemment distillées dans les propos consolants que la mère supérieure adressait aux élèves et surtout dans les interminables considérations morales du père Herménégilde durant ses cours de religion.

Enfermées toute une journée dans leur dortoir, sans qu'on songe à les en déloger, les élèves de terminale se livrèrent, comme le voulait la coutume, à une déploration unanime. La clameur de leurs sanglots emplissait tout le lycée. Les pleurs ininterrompus témoignaient de la sincérité de leur chagrin, protestaient contre le destin injuste de Frida. Toutes étaient unies dans le désespoir d'être femmes.

Puis vint le temps des rumeurs. De quoi Frida était-elle morte ? Pourquoi ? Comment ? Qui l'avait fait mourir ? La version officielle voulait que ce soit des suites d'une fausse couche. Le véhicule qui la ramenait à Kigali ayant dû emprunter de mauvais sentiers, étaient-ce les cahots qui l'avaient provoquée ? En ce cas, la mère supérieure et l'ambassadeur n'étaient-ils pas un peu responsables ? Pourquoi n'avaient-ils pas attendu la réouverture de la piste ? À quelques jours près. Ou alors c'était cette nourriture de Blanc, ce ventre d'oiseau malade que Frida avalait avec tant de gourmandise, c'est cela qui les avait empoisonnés, elle et son bébé. Beaucoup estimaient qu'évidemment elle avait été empoisonnée, mais pas par la nourriture des Blancs, par des empoisonneurs, des Rwandais sans aucun doute. C'était facile à comprendre : les ennemis de Balimba l'avaient fait suivre jusqu'à Kigali, ils avaient payé des empoisonneurs rwandais, des abarozi, ils les avaient payés cher, très cher, les abarozi, si on leur donne ce qu'il faut, ils sont prêts à empoisonner n'importe qui, c'est leur métier, ils sont bien plus puissants que les sorciers zaïrois et leurs dawa. Et puis, peut-être que les ancêtres de Frida n'étaient pas tout à fait rwandais, qu'ils venaient de l'île d'Ijwi ou de l'autre côté du lac, du Bushi… Alors Balimba…

— Moi, dit Goretti, je crois que c'est sa propre famille qui l'a tuée, sans le vouloir bien sûr, en la faisant avorter. C'est ce qu'on aurait fait chez moi. Une fille ne peut pas se marier enceinte ou avec un bébé au dos, même si c'est le dos de la boyesse. C'est le déshonneur, la honte pour elle et toute la famille, elle va attirer sur eux tous les malheurs. Il vaut mieux que l'enfant n'ait jamais existé. Alors ils ont cherché un médecin, un mauvais médecin, il n'y a que les mauvais médecins qui pratiquent l'avortement, ou même un infirmier, ou pire encore une matrone qui fait boire une médecine qui fait avorter ou qui tue… pauvre Frida ! Mais si ce que je dis est vrai, la famille de Frida aurait bien raison d'avoir peur, la vengeance de Balimba sera terrible s'il est persuadé que Frida portait un garçon.

L'ambassadeur Balimba demanda sa mutation et l'obtint rapidement. Il fit partie de la délégation zaïroise auprès de l'OUA à Addis-Abeba. Le père de Frida abandonna la diplomatie, il se lança dans les affaires, on dit qu'il y réussira…

— Cela suffit, dit Gloriosa, je crois qu'on a assez versé de pleurs sur Frida. Qu'on n'en parle plus, ni entre nous ni avec les autres. Il est temps de nous rappeler qui nous sommes, où nous sommes. Nous sommes au lycée Notre-Dame-du-Nil qui forme l'élite des femmes du Rwanda, c'est nous qui avons été choisies pour être l'avant-garde de la promotion féminine. Restons dignes de la confiance que nous a accordée le peuple majoritaire.

— Gloriosa, dit Immaculée, crois-tu qu'il soit déjà temps de nous refaire un de tes discours de politicienne comme si on était à un meeting. La promotion féminine, parlons-en ! Si nous sommes ici, pour la plupart, c'est pour la promotion de la famille, pas pour notre avenir mais pour l'avenir du clan. Nous étions déjà de bonnes marchandises puisque nous sommes presque toutes des filles de gens riches et puissants, filles de parents qui sauront nous négocier au plus haut prix, et un diplôme va encore ajouter à notre valeur. Je sais bien que beaucoup ici se plaisent à ce jeu, puisqu'il n'y en a pas d'autre, qu'elles en tirent même leur orgueil. Moi, je ne veux plus participer à ce marché.

— Écoutez-la, ricana Gloriosa, elle parle comme une Blanche dans un film ou dans les livres que nous fait lire le professeur de français ! Que serais-tu, Immaculée, sans ton père et son argent ? Crois-tu qu'une femme au Rwanda puisse survivre sans sa famille, celle de son père d'abord puis celle de son mari ? Tu reviens de chez les gorilles, je te conseille d'y retourner.

— Pourquoi pas ? dit Immaculée. C'est peut-être un bon conseil.

Dès que prit fin la semaine de deuil, le nom de Frida fut tacitement banni par tous du lycée Notre-Dame-du-Nil. Il tourmentait pourtant toujours les filles de terminale. C'était comme un de ces mots honteux que vous connaissez sans savoir d'où il vous est venu ni qui vous l'a appris et que vous entendez sortir de votre bouche sans l'avoir voulu. Si l'une d'elles prononçait, comme par un lapsus, le nom interdit, toutes les autres détournaient la tête, faisaient semblant de n'avoir rien entendu, se mettaient à parler très fort pour couvrir, effacer de leur bavardage futile l'écho interminable que les deux syllabes répercutaient dans leurs pensées. Car c'était bien un secret honteux qui se lovait désormais au sein du lycée comme au sein de chacune d'elles, un remords en quête de coupable, un péché inexpiable puisqu'il ne connaîtrait jamais d'aveu. Il fallait rejeter cette image : Frida comme le miroir noir dans lequel on pouvait lire son destin.

L'umuzimu de la reine

Leoncia attendait avec impatience la venue de Virginia pour les vacances de Pâques. Virginia avait toujours été l'enfant préférée de sa mère, ne s'appelait-elle pas Mutamuriza : « Ne la faites pas pleurer ». Et maintenant qu'elle était au lycée, étudiante ! comme elle le répétait sans cesse, c'était son seul orgueil. Elle se voyait déjà accompagnant sa fille qui, dès son arrivée, dans son uniforme de lycéenne, irait d'enclos en enclos, saluer tous les habitants de la colline. Ce serait son jour de gloire. Vêtue de son plus beau pagne, elle apprécierait, d'un œil critique ou satisfait, le degré d'honneur que chacun rendrait à sa fille qui, bientôt, reviendrait avec ce diplôme, si parcimonieusement décerné, surtout pour les filles, et plus encore pour une Tutsi, le prestigieux diplôme des Humanités. Même le chef de cellule, qui ne cessait d'inventer tracasseries et humiliations envers la seule famille tutsi de la colline, se verrait obligé de les recevoir et de se répandre en félicitations et encouragements dont les hyperboles dissimuleraient mal la contrainte. Leoncia se sentait rassurée : Virginia était étudiante et quand on est étudiante, pensait-elle, c'est comme si on n'était plus ni hutu ni tutsi, comme si on accédait à une autre « ethnie » : celle que les Belges appelaient naguère les évolués. Bientôt Virginia serait institutrice, peut-être même à l'école de la mission voisine puisque c'était là que le père Jérôme avait remarqué son intelligence. Il avait fini par convaincre Leoncia que Virginia (sa fille aînée ! Celle à laquelle les frères et sœurs devaient leur venue, uburiza, Celle qui avait ouvert le ventre pour les autres, Celle qui devait être la petite mère pour ses frères et sœurs) avait un autre avenir que celui de cultiver la terre à ses côtés. « Un avenir brillant, répétait-il, brillant ! » Elle pourrait même, suggérait-il pour convaincre Leoncia, se faire religieuse chez les Benebikira Maria, pas pour être cuisinière, mais pour être professeur sans aucun doute, et plus tard supérieure, et pourquoi pas Mère générale. Leoncia préférait pour sa fille un bon mari, fonctionnaire évidemment, et qui posséderait même un Toyota pour faire du commerce. Elle calculait déjà la dot de Virginia. Pas que des vaches. De l'argent aussi avec lequel on pourrait construire une maison en brique, une maison de Blancs, avec une porte et des cadenas, un toit de tôles qu'elle verrait briller de loin, au soleil, depuis son champ. On ne dormirait plus sur la paille mais sur des matelas qu'elle irait acheter au marché, chez Gahigi, même les enfants auraient leur matelas, un pour les trois garçons, un pour les deux filles. Elle, elle aurait un salon pour recevoir les parents, les amies, les voisines. Surtout les voisines. On ne s'assoirait pas sur des nattes mais sur des chaises pliantes. Et, au beau milieu de la table, scintille-raient les reflets d'or du grand thermos, toujours rempli (trois litres !) de thé, toujours chaud en attendant de recevoir les visiteuses du dimanche après-midi qui dégusteraient le thé encore tiède et ne manqueraient pas de dire entre elles en s'éloignant : « Leoncia a bien de la chance d'avoir une fille qui a fait de grandes études, elle a un grand thermos ! »

Il pleut en mars. Et en avril, il pleut davantage encore. Qu'il pleuve ! Qu'il pleuve ! Les greniers seront pleins et les ventres des enfants rebondis. Pendant ses deux semaines de vacances, Virginia redevenait la « petite mère » que sa position d'aînée lui conférait naturellement. Elle s'occu-pait de ses frères et sœurs, portait le dernier-né au dos. C'étaient aussi les vacances de Leoncia. À la veillée, les petits avaient tant de questions à poser et Virginia déroulait comme dans les contes les merveilles du lycée Notre-Dame-du-Nil. Mais c'est au champ que Leoncia appréciait surtout sa fille. Non, le lycée des Blancs ne l'avait pas changée. Elle était la première, avant le lever du soleil, à retrousser son pagne et, les pieds nus dans la boue, à manier la houe. Pour traquer les parasites, elle savait se faufiler entre les tiges de maïs autour desquelles les haricots tentaient de s'enrouler sans écraser ceux, plus précoces, semés en décembre. Elle distinguait le sorgho naissant des mauvaises herbes qui le menaçaient et, pour les arracher, sautillait entre les mottes de terre qui recouvraient les patates douces plantées en dessous. « Ah, disait Leoncia, celle-là, c'est bien ma fille ! Que son nom lui soit propice : Muta-muriza, Ne-la-faites-pas-pleurer. »

C'est en sarclant les haricots que Virginia annonça à sa mère qu'elle irait, dès le lendemain, chez Skolastika, sa tante paternelle.

— Bien sûr, dit Leoncia, tu dois aller rendre visite à ta tante. Pourquoi ne te l'ai-je pas dit plus tôt ? Skolastika, ce n'est pas ma sœur, c'est celle de ton père, elle porte ton lignage, c'est Nyogo-senge. Je te l'ai toujours dit : il faut toujours être dans les bonnes grâces de ta tante. Si elle venait à se fâcher, malheur sur nous ! La tante pater-nelle, c'est comme l'orage qui menace. Si elle venait à te maudire, que deviendrions-nous ? Skolastika t'a toujours été de bon augure, elle le sera pour ton diplôme. Mais tu ne peux aller chez ta tante les mains vides. Que penserait-elle de moi ? Et ton père ! Ramassons les houes, il faut vite aller préparer de la bière de sorgho pour Skolastika.

La journée tout entière fut consacrée à la pré-paration de cette bière de sorgho sans laquelle Virginia ne pouvait se présenter devant sa tante. Leoncia était soucieuse. À la maison, il n'y avait ni l'amamera, le sorgho noir qui sert à fabriquer la bière, ni la levure, l'umusemburo. Il fallut aller les demander aux voisines. Certaines n'en avaient pas, d'autres ne voulaient manifestement pas en donner. Dans tous les cas, cela nécessitait de longs échanges de politesse. Leoncia s'efforçait de ne pas montrer son impatience. Ce fut la vieille Mukanyonga qui consentit, moyennant un interminable monologue sur sa misère et les malheurs du temps, à céder juste de quoi faire une petite cruche. La bière de sorgho, si on a l'amamera et l'umusemburo, ce n'est pas bien long à préparer, mais il fallait trouver pour le flacon une calebasse au col élégamment courbé et à la rotondité gracieuse, lui choisir comme écrin une de ces fines vanneries au couvercle pointu que tressait Leoncia et l'orner d'une guirlande en feuilles de bananier. On enveloppa le précieux cadeau dans un essuie-mains que Virginia avait ramené du lycée et on le mit dans sa sacoche.

La camionnette s'arrêta au marché de Gaseke. Virginia qui, grâce à son uniforme de lycéenne, avait obtenu une place auprès du chauffeur attendit que l'énorme femme qui, à chaque virage, l'avait écrasée de sa molle touffeur réussisse, geignant et s'épongeant, à s'extirper de la cabine. Les passagers à l'arrière avaient déjà sauté à terre et récupéraient leurs bagages : des matelas maintenus enroulés par des cordelettes de sisal, des plaques de tôle, deux chèvres, des jerrycans remplis de bière de banane ou de pétrole... Des boys, accourus d'une des boutiques dont la rangée occupait l'un des côtés de la place boueuse du marché, déchargèrent les touques d'huile de palme et les sacs de ciment attendus avec impatience par le commerçant pakistanais.

Virginia entra dans la boutique, acheta une bouteille de Primus puis, au marché, négocia longuement avec un vieillard grincheux un morceau de tabac qu'il trancha au bout de la longue spirale tressée et, pour finir, se dirigea vers les femmes qui, assises sur des nattes effrangées, vendaient, dans des cuvettes au décor de fleurs rouges, des beignets dorés. Elle en acheta trois sous les regards brillants d'envie des gamins qui, assis en tailleur face à la marchande, passaient tout le temps que durait le marché à contempler ces délices inaccessibles. Virginia prit le chemin qui menait à la colline où habitait sa tante.

L'étroit sentier suivait la crête dominant les terrasses de culture qui descendaient jusqu'à un marais planté de maïs. Des petites maisons, rondes ou rectangulaires, les unes couvertes de chaume, d'autres, moins nombreuses, de tuiles, parsemaient les pentes étagées de toutes les collines qu'on découvrait depuis le sentier. Beaucoup se dissimulaient sous le couvert dense de la bananeraie et on ne devinait leur présence qu'aux fumerolles bleuâtres qui s'étiraient paresseusement au-dessus des grandes feuilles lustrées. En carrés réguliers, les caféiers étaient déjà chargés de grappes de cerises rouges. Dans le bas-fond marécageux, subsistaient quelques touffes de papyrus et, sans se soucier des paysannes au travail, quatre grues couronnées faisaient pavane de leur nonchalante élégance.

Au sommet de la plus haute colline, s'élevaient les bâtiments imposants de la mission. La tour crénelée de l'église rappela à Virginia une illustration de son livre d'histoire : le château fort qui, d'après la leçon tant de fois répétée de sœur Lydwine, était autrefois, il y a bien longtemps, en Europe, la demeure des nobles guerriers.

Le soleil allait disparaître derrière les collines quand Virginia aperçut au bout du sentier la maison de sa tante. Skolastika qui, sans doute, avait reconnu au loin la silhouette de sa nièce abandonna aussitôt son champ, ramassa dans son panier les patates douces qu'elle venait de déterrer pour le repas du soir, gravit aussitôt en courant la pente et, avant que Virginia n'y parvienne, se posta à l'entrée de l'enclos. Elle n'eut que le temps d'arracher une touffe d'herbes afin de débarrasser ses pieds et ses jambes de la croûte de terre qui les recouvrait avant de rabattre son pagne qu'elle avait retroussé jusqu'aux mollets pour travailler au champ. Virginia avait sorti le panier de la sacoche et l'avait posé, comme il se doit, en équilibre sur la tête. « Sois la bienvenue, Virginia, dit Skolastika, je savais que tu allais venir, j'en avais été avertie. Hier soir, le feu s'est mis à crépiter et des étincelles ont dansé au-dessus des flammes. C'était le présage d'une visite. Alors j'ai prononcé les mots que l'on doit prononcer à ce moment-là : "Arakaza yizaniye impamba. Que l'hôte n'arrive pas les mains vides !" Mais je savais bien que c'était toi qui allais venir. Je suis Nyogosenge, ta tante paternelle. Leoncia devait te laisser venir. »

Elle lui fit signe d'entrer dans la cour et toutes les deux s'avancèrent jusqu'à la maison. Skolastika se tint sur le seuil et Virginia se courba avec grâce pour que Skolastika puisse saisir le panier. La tante prit le panier entre ses deux mains et alla le déposer, lentement, précautionneusement, sur l'étagère derrière la porte, avant qu'il ne trouve sa place d'honneur entre les barattes et les pots à lait.

Il était temps à présent de procéder aux salutations de bienvenue. Skolastika et Virginia s'étreignirent longuement se palpant l'une l'autre tandis que la tante murmurait à l'oreille de sa nièce la longue litanie des souhaits : « Girumugabo, que tu aies un mari ! Girabana benshi, beaucoup d'enfants ! Girinka, que tu aies des vaches ! Gira amashyo, un grand troupeau ! Ramba, ramba, longue vie ! Gira amahoro, que la paix soit avec toi ! Kaze neza, sois la bienvenue ! »

Skolastika et Virginia pénétrèrent ensemble dans la maison. Skolastika ouvrit le panier qu'avait apporté Virginia, en sortit la calebasse, choisit deux chalumeaux dans leur étui en forme de carquois, en tendit deux à Virginia. Les deux femmes s'accroupirent face à face. Skolastika avait posé entre elles la calebasse. Elles aspirèrent une gorgée de bière. Skolastika poussa un profond soupir appréciateur qui exprimait son contentement.

La première journée du séjour de Virginia chez sa tante fut bien entendu consacrée à la tournée triomphale des visites chez les voisins. Le soir, Skolastika fit à toute la famille réunie le récit des marques d'honneur dont sa nièce lycéenne avait fait l'objet. Même chez Rugaju, le païen (Skolastika en avait profité pour lui suggérer de faire baptiser ses enfants — au moins les garçons — afin qu'ils puissent aller à l'école comme les autres). Le mari de Skolastika interrogea longuement Virginia sur ses études : il avait été deux ans au petit séminaire et il lui montra fièrement les trois livres d'arithmétique, de grammaire et de conjugaison qu'il conservait précieusement en témoignage de ses hautes études. Skolastika ne semblait pas apprécier l'intérêt que son époux portait à sa nièce. Au moment d'aller se coucher, Virginia, après beaucoup d'hésitations et au bout de circonlocutions embarrassées de révérence, de respect et d'excuses, se résolut à avouer à sa tante qu'elle n'irait pas le lendemain comme elle l'avait prévu à la mission. Elle devait aller chez Clotilde, son amie d'enfance, avec laquelle elle jouait, dansait, sautait à la corde, quand elle venait chez Skolastika. Elle avait appris que Clotilde s'était mariée, qu'elle venait d'avoir un enfant. Elle avait promis de lui rendre visite dès son arrivée. Skolastika fut quelque peu choquée de l'audace avec laquelle Virginia s'adressait à sa tante paternelle. Mais elle se garda de montrer sa contrariété. Après tout, Virginia était une étudiante, au lycée ses professeurs étaient des Blancs, il y avait des choses qu'on ne pouvait pas comprendre chez ceux qui vivaient toujours avec les Blancs. « Bon, dit Skolastika, va donc chez Clotilde, tu m'accompagneras après-demain à la mission. Le père Fulgence veut te voir. »

Virginia était un peu anxieuse lorsqu'elle alla saluer sa tante avant de partir rendre visite à son amie Clotilde. Mais Skolastika ne fit rien paraître de sa déception et donna même une main de bananes igisukari, le sucre des sucres, pour Clotilde et son bébé. Virginia mit les bananes dans sa sacoche et prit le chemin de la maison de son amie. Pourtant, passé le petit reboisement d'eucalyptus, elle changea de route et, après d'assez longs détours, aboutit à un sentier abrupt qui descendait vers le marais. À mi-pente, se trouvait la maison de Rugaju, le païen. Dans la cour, des enfants dépenaillés jouaient, couraient, se chamaillaient. Ils se figèrent de stupeur lorsqu'ils virent entrer Virginia.

Virginia fit signe au plus grand qui paraissait avoir une dizaine d'années.

— Viens, j'ai quelque chose à te dire.

Le gamin hésita puis, après avoir écarté ses frères et sœurs, s'avança vers Virginia.

— Comment t'appelles-tu ?

— Kabwa.

— Eh bien, Kabwa, tu connais Rubanga ? Tu sais où il habite ?

— Rubanga, le sorcier ? Oui, je connais Rubanga. Je suis allé quelquefois chez lui avec mon père. Il n'y a bien que mon père pour aller chez ce vieux radoteur. Tout le monde dit que c'est un fou, mais on dit aussi que c'est un empoisonneur.

— Je veux que tu me conduises chez Rubanga.

— Toi, chez Rubanga, l'étudiante ! Tu as donc quelqu'un à empoisonner !

— Je ne veux empoisonner personne. J'ai quelque chose à lui demander. C'est pour le lycée.

— Pour le lycée ? On fait de drôles de choses à l'école des Blancs !

— Si tu m'y conduis, je te donnerai des beignets.

— Des beignets ?

— Et un Fanta.

— Un Fanta orange ?

— Un Fanta orange et des beignets.

— Si tu me donnes vraiment un Fanta orange, je te conduirai chez Rubanga.

— Le Fanta orange et les beignets sont dans ma sacoche. Dès que j'aperçois la maison de Rubanga, ils sont à toi. Mais alors tu t'en vas et tu ne dis rien à personne. On t'a raconté l'histoire de la marâtre qui fait dormir l'enfant qui n'est pas le sien dans le mortier ? Je demanderai à Rubanga de te jeter un sort ; si tu parles, tu seras comme le garçon dans le mortier : tu ne grandiras plus et tu n'auras jamais de barbe.

— Je ne dirai rien, même pas à mon père, mais montre-moi le Fanta orange, je veux être sûr que tu ne me mens pas.

Virginia ouvrit sa sacoche et lui montra le Fanta et les beignets.

— Suis-moi, dit Kabwa.

Virginia et son guide reprirent le sentier qui dévalait jusqu'au marais. Virginia se couvrit la tête de son pagne craignant d'être reconnue mais, en ces mois de pluie, peu de femmes s'aventuraient dans la vallée et, de plus, l'étroit chemin finit par aboutir tout au bout du marais, là où, encaissé entre les pentes raides des collines, il n'avait pas encore été mis en culture.

Kabwa indiqua une trouée dans l'épaisse papyraie.

— Surtout, dit Kabwa, tu ne t'écartes ni à droite ni à gauche : tu t'enfoncerais dans la boue et ne compte pas sur moi pour te tirer de là, je n'ai pas assez de force. Et puis, si tu aperçois l'hippopotame, tu le laisses passer, c'est d'abord son sentier, mais, ajouta Kabwa en riant, n'aie pas peur, il ne sort de sa mare que la nuit.

Ils s'enfoncèrent sous la voûte des plumets diaphanes des papyrus. Virginia s'efforçait de ne prêter aucune attention au gargouillis continuel qui montait des eaux glauques du marais ni aux soubresauts visqueux qui gonflaient la boue noire.

— On y est, dit Kabwa.

La papyraie s'était éclaircie et laissait émerger un îlot rocailleux dont les fourrés épineux semblaient s'être égarés au milieu du marais.

— Regarde, dit Kabwa en désignant une hutte au sommet de la petite éminence, c'est chez Rubanga. Je t'ai conduite où tu voulais, donne-moi ce que tu m'as promis.

Virginia lui donna le Fanta et les beignets et Kabwa, courant à toutes jambes, disparut par la brèche ouverte dans les papyrus.

Quand Virginia s'approcha de la hutte, elle vit un petit vieillard à demi allongé sur un lambeau de natte. Il était enveloppé dans une couverture brunâtre et coiffé d'un bonnet de laine surmonté d'un gros pompon rouge. Une pince de bois serrait ses narines.

Virginia s'avança lentement en toussotant pour signaler son arrivée. Le vieillard ne semblait pas s'être rendu compte de sa présence.

— Rubanga, dit-elle doucement, Rubanga, je suis venue pour te saluer.

Rubanga leva la tête et regarda longuement Virginia.

— Tu es venue me saluer, toi, une belle jeune fille comme toi ! Alors laisse-moi te regarder, il y a si longtemps que je n'ai pas vu chez moi une belle jeune fille comme toi. Assieds-toi devant moi que le soleil me montre ton visage.

Virginia s'accroupit les fesses sur les talons.

— Là, maintenant, je vois ton visage. Veux-tu du tabac comme moi ? Tu vois, j'en ai plein le nez. Autrefois les grandes dames aussi aimaient se mettre du tabac dans le nez.

— Non, Rubanga, aujourd'hui les jeunes filles ne prisent plus. Tiens, je t'ai apporté cela, dit-elle en lui tendant la bouteille de Primus et le morceau de tabac tressé enveloppé dans un bout d'écorce de bananier.

— Tu es venue pour m'apporter une bouteille de Primus, jusqu'ici, au fond du marais ! Tu n'es pas ma fille. Comment t'appelles-tu ? Que veux-tu de moi ?

— Je m'appelle Virginia, mon vrai nom c'est Mutamuriza. Je suis au lycée. Je sais que tu connais beaucoup de choses des anciens temps. C'est ce que tout le monde dit à Gaseke. Je suis venue pour que tu me parles des reines d'autrefois. Quand elles mouraient, que faisait-on ? Je sais que tu connais cela.

— On ne dit pas que la reine est morte. Jamais. Ne dis plus jamais cela, cela te porterait malheur. Et tu veux savoir ce qu'on faisait d'elles ?

— Dis-le-moi. J'ai besoin de le savoir.

Rubunga détourna son visage, enleva la pince qui lui serrait le nez et, appuyant son index sur chaque narine, en fit jaillir un filet brunâtre. Il essuya ses yeux larmoyants du revers de ses mains, se racla la gorge, cracha au loin, replia les jambes et se prit la tête entre ses mains décharnées. Sa voix d'abord fluette et chevrotante s'affermit.

— Ne me demande pas. C'est un secret. Un ibanga. Un secret des rois. Moi, je suis un des gardiens des secrets des rois. Je suis un umwiru. Tu connais mon nom, mon nom porte le secret. Je ne connais pas tous les secrets des rois. Je ne connais que ceux dont on m'a donné la garde. Les abiru ne livrent pas leurs secrets. Dans ma famille, on ne livrait pas les secrets que le roi avait confiés à notre mémoire. Je sais qu'il y en a qui ont vendu leurs secrets aux Blancs. Les Blancs ont mis par écrit les secrets. Ils en ont même fait un livre, à ce qu'on m'a dit. Mais les Blancs, que comprennent-ils à nos secrets ? Cela leur portera malheur. Il y a même un umupadri rwandais qui s'est fait passer pour un umwiru. Il a écrit lui aussi les secrets. Cela nous a porté malheur. Autrefois le roi l'aurait fait tuer. Ses batwa lui auraient percé les yeux et arraché la langue avant de le jeter dans la Nyabarongo. Bon. Moi, j'ai gardé le secret dont le roi m'avait fait le gardien. Maintenant on se moque de moi. Les abapadri disent que je suis un sorcier. Le bourgmestre m'a jeté plusieurs fois en prison. Je ne sais pas pourquoi. On dit que je suis fou. Mais ma mémoire n'a rien oublié de ce que le roi a confié à ma famille. Pour un umwiru, l'oubli, c'est la mort. Le roi convoquait parfois tous les abiru à la cour. Il leur donnait des vaches, des cruches d'hydromel. Ils étaient honorés par tous les puissants de la cour. Mais les grands abiru, ceux qui connaissaient tous les secrets — ils étaient quatre, le plus grand, c'était Munanira — vérifiaient leur mémoire. C'était comme à l'examen national dont on parle tant aujourd'hui. Malheur à celui que rongeait l'oubli. À la moindre hésitation, à la moindre omission, on le destituait, on le renvoyait pour sa honte et pour celle des siens.

« Maintenant il n'y a plus de rois, les grands abiru sont morts, on les a tués ou ils sont partis en exil. Alors c'est aux fleurs rouges de l'érythrine que je récite mes secrets. Je regarde bien s'il n'y a personne pour m'entendre, hormis les fleurs rouges de l'arbre qui sont le sang de Ryangombe, le maître des Esprits. Mais souvent des enfants m'ont suivi et ils se cachent pour entendre ce que je récite et quand je les découvre et que je les chasse, ils se sauvent en criant : « Umusazi ! Umusazi ! Au fou ! Au fou ! » Et s'ils racontent à leur mère ce qu'ils ont vu, ce qu'ils ont entendu, elle leur dira : « Surtout ne dites rien de ce que vous avez vu, ne répétez pas ce que vous avez entendu, à personne, ni aux voisines, ni au maître, ni à l'umupadri. Ne dites rien de cela. Oubliez ce que vous avez vu, ce que vous avez entendu. N'en parlez jamais. » Alors, toi, pourquoi es-tu venue me voir ? Toi aussi, tu veux que je te révèle mes secrets ? Tu veux les vendre aux Bazungu ? Tu veux les mettre dans un livre ? Une belle jeune fille comme toi, tu veux attirer sur toi la malédiction ?

— Je ne révélerai pas tes secrets. Si tu me les dis, je les garderai pour moi, au fond de ma mémoire, je ne les livrerai à personne. Si je viens vers toi, c'est que je crois que c'est une reine qui m'envoie, une reine d'autrefois.

— Une reine d'autrefois ? Tu as vu son umu-zimu ?

— Peut-être. Laisse-moi te dire. Je suis allée chez un Blanc avec mon amie. C'est un vrai fou. Il croit que nous, les Tutsi, on est des Égyptiens, qu'on est venu d'Égypte. Tu sais tout ce que les Blancs ont inventé sur les Tutsi. Dans son domaine, il a trouvé le tombeau d'une reine. Il a déterré ses os, mais il ne les a pas donnés au musée. Il a construit dessus un monument. Il nous a expliqué que c'était comme ça que fai-saient des reines noires qui s'appelaient Can-dace. Il voulait que je fasse pour lui la reine Candace. Il nous a montré des photos. Je ne sais pas ce que l'on doit faire des os d'une reine. J'ai entendu dire qu'autrefois un python veillait sur elle. Je n'ai pas vu de python, mais moi j'ai vu la reine. Dans mes rêves, j'ai vu la reine. Je ne la vois pas vraiment. C'est comme un nuage. Un lambeau de nuage qui s'effiloche sur la pente de la montagne et, à travers ce nuage, de temps en temps, le soleil étincelle. Un nuage brillant mais je sais que c'est la reine. Et parfois, derrière le masque de gouttelettes de lumière, je distingue son visage. Je crois qu'elle me demande de faire quelque chose pour elle. Elle ne me laisse plus en paix. Toi qui connais les secrets des rois, dis-moi ce que je dois faire.

— Tu es de qui ?

— Je suis chez ma tante paternelle, Mukan-
dori.

— Je connais ta tante. Je sais qui est ta famille.
Tu es du bon lignage. C'est aussi le mien. Alors
c'est pour cela que je te dirai ce que je peux te
dire. Mais ne va pas le répéter. À personne, tu
m'entends. Que ta tante qui est toujours à la
mission, qui porte un chapelet autour du cou,
ne sache pas que tu es venue ici. Ne raconte rien
aux Blancs qui veulent tout savoir et qui n'y
comprennent rien. Je veux te venir en aide et à
l'umuzimu, surtout à l'umuzimu de la reine. Je
crois que le Blanc a réveillé l'umuzimu du grand
sommeil. Quand on réveille les Esprits du sommeil paisible de leur mort, ils sont furieux. Ils
peuvent se changer en léopard, en lion, c'est ce
qu'on croyait autrefois.

« Moi, je suis allé aux funérailles d'une reine.
C'était il y a bien longtemps. Il ne fallait pas dire
que la reine était morte. On disait : "Elle a bu
l'hydromel." J'étais jeune. J'ai accompagné mon
père. Il m'a dit : "Viens, tout ce que tu me
verras faire, tu auras à le faire un jour. Ensuite,
je te transmettrai le secret. Celui que le roi a
donné en garde à notre famille. Toi aussi, tu le
transmettras à l'un de tes fils." Mon père se
trompait : je n'ai jamais fait ce que faisait mon
père. Mes fils sont allés à l'école des Blancs. Ils
ont honte de leur père. Le secret disparaîtra avec
moi. Alors toi, tu es jeune, tu es venue ici, je vais
te dire comment on accompagnait une reine à

sa dernière demeure, sois bien attentive et je crois qu'il y aura quelque chose pour toi.

« Le corps de la reine, d'abord, on le desséchait. Les abiru avaient allumé un feu sous son lit de repos. Ils le retournaient pour qu'il sèche bien partout. On l'avait enveloppé dans une étoffe de ficus. Mais mon père était un grand umwiru. Lui, il avait emmené une vache pour la reine. Il m'avait donné à porter un grand pot à lait, un igicuba, qui avait été taillé tout exprès, qui n'avait jamais reçu de lait. Mon père trayait la vache pour offrir le lait à la reine. C'est là qu'il faut que tu m'écoutes. Il y avait une femme avec nous. Une jeune fille vierge. Ce n'était pas une umwiru. Il n'y a pas de femmes umwiru. C'était une suivante de la reine. Elle avait été choisie parce que c'était la suivante préférée de la reine, son inkundwakazi. Je lui donnais le grand pot rempli de lait. Elle allait le porter à la reine. C'était pour l'umuzimu de la reine. As-tu bien entendu ? C'était une jeune fille vierge, la suivante préférée de la reine, celle qui lui portait le lait. Ensuite on est allés à l'endroit que les sorts avaient désigné pour le repos la reine. Le voyage a duré quatre jours. Chaque soir, on était accueillis dans un gîte qu'on avait construit pour recevoir la reine et les abiru. Il y avait des cruches de bière, de sorgho, de bananes, de l'hydromel qui nous attendaient. Après notre départ, on détruisait le gîte. Là où la reine devait demeurer, on construisait une hutte et un enclos. Une hutte pour la reine, une hutte pour nous, les abiru.

Mon père s'occupait seulement de traire la vache, moi de donner le pot à lait à la suivante et la suivante de le porter sur le lit de la reine. On est restés quatre mois auprès d'elle. On recevait de la bière et des vivres en abondance. Au bout des quatre mois, un envoyé du roi est venu nous dire que le deuil était levé. On est partis. On a laissé la maison de la reine qui devait s'écrouler d'elle-même. Les ficus de l'enclos deviendraient de grands arbres. Cela ferait bientôt comme une petite forêt : le kigabiro de la reine. Que personne n'ose y pénétrer ! Et il y avait aussi un grand arbre, une érythrine, celui-là, on ne l'avait pas planté. Il était déjà très grand. Je crois que c'est à cause de cet arbre que les abiru avaient choisi de déposer la reine à cet endroit. À la saison sèche, il se couvre de fleurs : c'est le seul de tous les arbres qui a accepté d'accueillir Ryangombe lorsque le buffle l'a blessé à mort, les fleurs rouges, c'est son sang. L'esprit de la reine n'est pas resté dans la tombe, près de ses os, les fleurs rouges ont accueilli l'umuzimu de la reine. Maudit soit celui qui y portera sa hache !

« La suivante de la reine, je ne sais ce qu'on en faisait. Je ne peux pas te le dire. Elle restait peut-être auprès de la reine. Ne me demande pas.

« Voilà ce que j'ai vu, voilà ce que je sais, voilà ce que je peux te dire. Si je t'ai révélé tout cela, c'est que je crois que tu as vraiment vu l'esprit de la reine. Le Blanc a réveillé son umuzimu. Il faut l'apaiser, il faut qu'il retrouve le sommeil de la mort. Si la reine te poursuit dans tes rêves, c'est peut-être qu'elle cherche sa suivante, celle qui était sa préférée, qui était toujours à ses côtés, qui la soutenait car les reines avaient peine à marcher à cause du poids des anneaux de métal qui leur montaient jusqu'aux genoux, elle cherche celle qui lui donnait le lait, même après sa mort, quand le sommeil de la mort n'avait pas encore engourdi son esprit. Il faut que l'ombre de la reine se dissipe dans la brume de la Mort et qu'elle s'y perde à nouveau, sinon elle continuera à te tourmenter et à tourmenter les vivants, elle te tourmentera jusqu'à ce que tu la rejoignes au pays des morts. Si tu reviens, je te dirai alors ce que tu as à faire.

— Je reviendrai, mais promets-moi d'éloigner de moi cette reine ou de me la rendre favorable.

— Je te dirai ce que tu devras faire et je te donnerai ce qu'il faut pour cela : je suis un umwiru.

— Tu viens bien tard, dit Clotilde, je ne t'attendais plus, je croyais que tu ne viendrais pas.

— Tu sais ce que c'est avec les tantes paternelles, le respect qu'on leur doit, elles en profitent. Elle m'a donné la permission de venir te voir, mais, au moment de partir, elle a trouvé tous les prétextes pour me retenir le plus longtemps possible, une façon de me rappeler son autorité. Tu ne peux rien contre le bon vouloir de ta tante paternelle.

L'avant-veille de son départ, Virginia obtint de Skolastika d'aller dire au revoir à Clotilde. « Je ne croyais pas que tu tenais tant à cette Clotilde, dit la tante d'un ton où se mêlaient l'amertume et le soupçon, mais je ne veux pas contrarier une fille qui a tant d'instruction, tu sais ce que tu fais, va donc saluer ta grande amie avant ton départ. »

Passé le petit bois d'eucalyptus, Virginia reprit le chemin du marais.

— Tu vas encore voir le sorcier, lui dit Kabwa lorsqu'elle passa devant la maison de Rugaju. Tu veux que je te conduise ?

— Je n'ai plus besoin de toi, maintenant je connais le chemin. Bien que tu t'appelles Kabwa, je ne veux pas d'un petit chien avec moi.

— Donne-moi quand même quelque chose.

— Tu sais ce que j'ai demandé pour toi à Rubanga : si tu parles, la malédiction sera sur toi. Mais, tiens, je te donne quand même cette pièce.

— Je te le promets, je ne dirai rien, je ne t'ai pas vue.

Virginia s'enfonça dans les papyrus sursautant aux grouillements, aux frémissements, aux envolées, aux galopades qui emplissaient le marais d'une myriade de vies toutes proches mais toujours invisibles. Elle déboucha enfin devant la butte au haut de laquelle habitait Rubanga.

Elle trouva celui-ci comme la première fois accroupi devant sa hutte, mais sans son pince-nez.

— Je t'attendais, dit Rubanga, je savais le jour où tu allais venir. Nous autres les abiru, nous sommes un peu des devins, des abapfumu. Tu as bien fait de revenir, pour toi, mais surtout pour l'umuzimu de la reine. Elle souffre la pauvre reine. En découvrant ses os, le Blanc l'a réveillée du sommeil de la mort et elle a trouvé refuge dans tes rêves, elle erre dans tes songes, elle t'a choisie pour être sa suivante, sa préférée. Elle compte sur toi pour la ramener au pays des morts, pour que tu y sois sa compagne, mais tu es bien trop jeune pour aller au pays des morts. Alors je suis allé pour toi là où personne ne doit aller. Ce que je vais te dire, c'est le grand secret, au moins une partie du grand secret. Si je te le dis, tu seras umwiru, pas tout à fait car il n'y a pas de femme umwiru, mais tu partageras un peu du secret. Alors j'ai préparé ce que doivent boire les abiru pour garder le secret.

Il lui tendit une petite calebasse et un chalumeau.

— Tu vas boire cela.

— Pourquoi veux-tu me faire boire cela ? Qu'est-ce que c'est ?

— Rassure-toi, ce n'est pas du poison, enfin pas encore. Ce que tu dois boire, c'est l'igihango. C'est ce que doivent boire tous les abiru. Bois, cela te protégera mais, si tu trahis le secret, l'igihango se changera en poison. La maladie, le malheur s'abattront sur toi et toute ta famille. Si tu brises le secret, le secret te brisera.

— Je te fais confiance, je n'ai pas le choix, donne-moi ta calebasse. Je ne briserai pas le secret.

Virginia aspira et un liquide âcre et brûlant envahit sa bouche. Elle se retint de pleurer.

— Bien, tu es courageuse. Et maintenant, écoute-moi. Je suis allé pour toi et pour l'umuzimu de la reine dans le marais, dans le grand marais sans fin de la Nyabarongo. Il n'y a pas de sentier, si tu t'y enfonces, tu marcheras, tu marcheras sans jamais pouvoir en sortir. Mais moi, je sais comment aller jusqu'à une petite hutte, ce n'est pas une simple hutte, même si elle ressemble à l'abri d'un chasseur, c'est la Demeure du Tambour. Quand tu entres dans la hutte, tu ne vois pas le Tambour, tu ne peux pas le voir, il est dans la terre, bien profond dans la terre au-dessous de toi. C'est Karinga, le Tambour des rois, le Tambour du Rwanda, la Racine du Rwanda, dans ses entrailles il contient tout le Rwanda. As-tu entendu mugir Karinga ? Quand Karinga grondait — car on ne battait pas Karinga comme les autres tambours, c'est de lui-même qu'il grondait — c'est tout le Rwanda qui l'entendait, on disait que tout ce qu'il y a sous le ciel l'entendait, alors les femmes restaient soudain immobiles penchées sur leur houe, la main des hommes se figeait au-dessus de la cruche, incapable d'y plonger le chalumeau, le chasseur qui tendait la corde de son arc ne pouvait décocher sa flèche, le berger qui jouait de la flûte perdait son souffle, les vaches oubliaient de paître et les mères d'allaiter leur bébé. Quand Karinga cessait de mugir, c'était comme si le pays se réveillait d'un grand enchantement. Personne n'aurait pu dire combien de temps avait tonné Karinga. Ses ennemis l'ont pourchassé, ont voulu le brûler, alors il s'est enfoui dans la terre. Ses ennemis l'ont cherché, ils ne l'ont pas trouvé. Peut-être un jour Karinga ressurgira-t-il de la terre. Nul ne sait quand. Mais, enfoui dans la terre, il veille toujours sur le Rwanda car personne n'a dévoilé ce que contient le ventre du tambour. Moi-même, je l'ignore. Personne n'a vu le cœur de Karinga. C'est le secret des secrets.

La voix de Rubanga tremblait en prononçant le nom du tambour. Il se tut un long moment.

— Bon… alors… écoute bien ce que j'ai fait pour toi et pour l'umuzimu de la reine… Je me suis couché juste au-dessus de l'endroit où est enterré le Tambour et, en rêve, il m'a révélé ce que je dois faire pour l'umuzimu de la reine. Ce que tu dois faire pour l'umuzimu de la reine. Tu as été à l'école des Blancs, mais tu es restée vierge. Donc j'ai taillé pour toi dans le bois d'une érythrine ce petit pot à lait, un petit pot à lait comme pour un enfant. Les morts ne sont pas gourmands, quelques gouttes les rassasient. Et je te donne cette branche et ses feuilles. C'est l'umurembe, l'umurembe est une plante qui apaise les morts car elle est sans épines. Autrefois, avant les missionnaires, on mettait ses feuilles dans la main du mort. Tu vas retourner chez ce Blanc avec le pot et les feuilles. Il faut que tu remplisses le petit pot avec du lait, du lait d'une vache inyambo, tu m'entends, pas du lait d'autres vaches. Il faut que le trayeur soit un jeune guerrier vigoureux, un intore. Tu iras jusqu'au kigabiro autour de la tombe. Parmi les arbres, il y a une érythrine, je l'ai vu dans le rêve. Tu tremperas les feuilles dans le lait et tu aspergeras l'érythrine en disant : « Retourne sans épines, comme l'umurembe. » Quand le pot sera vide, enterrele au pied de l'arbre. Mais fais bien attention, avant cela, le pot ne doit pas toucher la terre, s'il touche la terre, il perdra sa puissance. Garde tout cela dans ton cœur.

— Tu vas toujours faire la déesse chez ce fou de Blanc ? demanda Virginia.

— Pourquoi pas ? répondit Veronica, il m'habille en Égyptienne, il me parfume, il m'encense, il me photographie, il me dessine, il me peint, lui, il ne me touche pas : je suis sa statue, sa poupée, sa déesse. Je danse devant Celle qu'il a peinte à ma ressemblance et parfois je me sens, moi aussi, transportée dans un autre monde.

— Je crois que la folie de Fontenaille s'est emparée de toi. Tu me fais peur. Je ne sais pas comment cela peut finir pour toi.

— Qu'est-ce que j'ai à y perdre ? Toi et moi,

je me demande souvent à quoi cela nous sert de continuer les études dans ce collège où l'on forme, comme ils disent, la soi-disant élite féminine. Nous ne ferons jamais partie de leur élite. Nous avons les meilleures notes, non pas parce que nous sommes les plus intelligentes, mais parce que nous devons être les meilleures et que nous faisons semblant de croire que nos bonnes notes nous protégeront, que, grâce à elles, il nous reste un petit espoir d'avenir. Mais regarde les autres : pour certaines au moins, venir en cours, c'est une pure formalité, c'est comme si elles avaient déjà le diplôme, c'est comme si elles étaient déjà l'épouse d'un ministre, elles viennent en classe comme un fonctionnaire vient à son bureau, les notes, c'est secondaire, ce n'est pas ça qui les intéresse. Mais, nous, qu'est-ce que nous allons devenir ? Un diplôme tutsi, ce n'est pas comme un diplôme hutu. Ce n'est pas un vrai diplôme. Le diplôme, c'est ta carte d'identité. S'il y a dessus Tutsi, tu ne trouveras jamais de travail, même pas chez les Blancs. C'est le quota.

— Je sais tout cela, et je me dis souvent que j'aurais mieux fait de rester à cultiver sur ma colline. Mais ma mère imagine que le diplôme va tout sauver, moi et la famille... Donc, tu vas toujours chez ton Blanc.

— Mais oui, il a envoyé les portraits qu'il a faits de moi en Europe, il dit qu'ils ont eu beaucoup de succès et les photos aussi, que cela lui avait rapporté de l'argent, il dit que je suis vraiment sa déesse, que je lui porte chance, que cet argent est aussi pour moi et qu'une partie, ce sera pour payer mes études en Europe. Et il dit même que maintenant on me connaît en Europe, qu'on m'y attend. Je vais peut-être devenir une vedette, comme au cinéma. Fontenaille, c'est peut-être un fou mais c'est un fou qui a réalisé son délire et qui peut-être réalisera mes rêves. Lui, il vit dans son rêve. Il a recruté des jeunes garçons qui n'ont pas eu l'examen national ou ont été renvoyés du tronc commun à cause du quota. Il veut qu'ils vivent comme les Tutsi d'autrefois. Il a même engagé un ancien de la cour qui leur apprend à danser. Ce sont ses bergers, ses danseurs, ses intore, ses guerriers égyptiens. Les garçons acceptent, il les paie bien, il leur fait de vagues promesses de leur trouver une école, plus tard, je ne sais comment. En attendant, il leur tient de longs discours sur leur origine égyptienne. J'ai peur qu'il n'y en ait qui finissent par y croire. Lui, il ne sait plus ce qu'il est, tantôt un grand chef tutsi, tantôt un prêtre d'Isis. Il m'a dit aussi que des journalistes allaient venir d'Europe pour faire un reportage sur lui et son temple. Ils vont même tourner un petit film. Je vais jouer dans leur film. Je ferai la déesse. Je serai la vedette. S'ils m'emmenaient avec eux !

— Tu rêves toi aussi. La folie de Fontenaille finira par t'emporter. Prends bien garde. Mais dimanche, je voudrais aller chez Fontenaille.

— Toi aussi, tu veux jouer dans la folie du Blanc. Viens, il n'attend que toi. Il me demande toujours où est sa reine Candace, si elle reviendra un jour. Il sera fou de joie de te voir revenir et de t'habiller en reine Candace. Il m'a montré la tenue qui n'attend que toi.

— Ce n'est pas pour me déguiser en reine Candace que je veux y aller, c'est pour quelque chose que je ne peux pas te dire, il faut que j'y aille toute seule, je t'en prie, ne te fâche pas, je ne veux pas prendre ta place, je ne veux pas faire la reine Candace tous les dimanches, mais j'ai besoin une seule fois d'y aller seule.

— Je n'y comprends rien, mais tu es mon amie, j'ai confiance en toi, je ne crois pas que tu veuilles me tromper, cela doit être très important pour toi d'aller chez Fontenaille, mais tu fais bien des mystères ! Dimanche, tu vas à Rutare, aux gros rochers, la jeep est au rendez-vous, je te donnerai une lettre pour Fontenaille, j'écrirai que je suis malade, que je t'envoie à ma place, il sera content d'avoir sa Candace, mais quand même je n'y comprends rien...

— Je ne peux rien te dire, cela nous porterait malheur à toutes les deux.

— Voilà ma Candace, s'écria M. de Fontenaille en voyant Virginia descendre de la jeep, serrant sa sacoche contre sa poitrine, je l'attendais, je savais bien qu'elle finirait par me revenir. Mais où est Isis ?

— Veronica est malade, elle a écrit une lettre pour vous.

M. de Fontenaille lut la lettre. Un certain désarroi se peignit sur son visage.

— Ne craignez rien, le rassura Virginia, Veronica sera toujours votre Isis, dimanche prochain, elle sera là et moi, aujourd'hui, je veux bien être votre reine Candace, mais à une condition.

— À une condition ?

— Il y a dans votre domaine une vraie reine. Vous avez construit une pyramide sur ses ossements. J'ai peur qu'elle ne supporte pas de voir ici une autre reine. Nous autres les Rwandais, vous le savez bien, nous craignons beaucoup les esprits des morts : si on les offense, ils deviennent malfaisants. Moi, je ne suis pas vraiment une reine, si Nyiramavugo me voit déguisée en reine, son esprit entrera en fureur, elle me poursuivra, et vous aussi, de sa vengeance. Je dois d'abord lui faire une offrande pour nous la concilier.

M. de Fontenaille hésita un instant cherchant à comprendre ce que signifiaient, ce que cachaient les paroles de Virginia. Puis une soudaine exaltation parut l'envahir.

— Oui, oui, ma reine… bien sûr, tu dois rendre hommage à l'ancienne reine, à celle qui est sous la pyramide des reines Candace, et toi que j'ai vue sur la stèle à Méroé, tu vas renouer ainsi la chaîne des temps…

M. de Fontenaille fermait les yeux comme ébloui par l'éclat insoutenable d'une vision, ses mains tremblaient. Au bout d'un long moment qui parut interminable à Virginia, il retrouva son calme.

— Que veux-tu faire, ma reine ? Je ferai tout ce que tu me diras de faire.

— Il suffit d'offrir à la reine ce qu'il y a de plus précieux pour un Rwandais : le lait. Et vous avez le lait qui convient à une reine : celui des vaches inyambo.

Virginia sortit de sa sacoche le petit pot à lait et la tige feuillue de l'umurembe.

— Il faut remplir mon petit pot à lait, c'est juste ce qu'il faut pour apaiser la reine.

— Viens, mes bergers te rempliront ton pot avec le lait de la traite du matin, puis nous monterons jusqu'à la tombe de la reine pour que tu accomplisses tes devoirs envers elle.

— Monsieur Fontenaille, dit Virginia alors que celui-ci se préparait à pénétrer avec elle dans le bosquet funèbre, surtout ne vous fâchez pas contre moi mais, dans le kigabiro, il faut que j'y aille seule. C'est un bois interdit. Vous, vous avez sans doute abattu des arbres, vous avez creusé la terre, vous avez mis au jour les os de la reine, vous avez construit dessus votre monument. Vous êtes un Blanc, mais vous avez quand même violé le kigabiro. Si vous êtes à mes côtés, j'ai peur que la reine ne refuse mon offrande. Si l'on irrite les morts, on peut craindre de subir leurs maléfices. Peut-être que vous, les Blancs, cela ne vous concerne pas, mais c'est sur moi que retombera sa vengeance. Je vous en prie, ne vous mettez pas en colère.

— Mais non, Candace, je ne me fâche pas, au

contraire, je comprends, je respecte les rites. Au retour à la villa, tu te revêtiras des habits de la reine Candace. Je ferai ton portrait. Isis, Candace, les preuves s'accumulent. Même si les Tutsi doivent disparaître, je suis le gardien de leur légende.

Virginia se glissa entre les troncs tourmentés des vieux ficus, évita la clairière où se dressait la pyramide, chercha à reconnaître dans l'épaisseur de l'inquiétant fourré l'arbre à fleurs rouges. Une pensée lui traversa l'esprit : « Et si le python me guettait derrière les branches ? » Elle pressa le pas et atteignit bientôt la limite opposée du bois : « Rubanga m'a trompée, se dit-elle, ce n'est qu'un vieux charlatan. » Mais, dès qu'elle sortit du couvert, elle aperçut non loin un arbre isolé. Il n'était pas chargé de fleurs rouges (elle savait qu'il ne fleurissait qu'à la saison sèche) mais à son écorce crevassée, à ses branches serpentines, elle reconnut l'arbre qu'elle cherchait : l'érythrine, l'umurinzi, le gardien, comme on devait l'appeler par respect, celui que les abiru avaient choisi il y a si longtemps pour accueillir l'umuzimu de la reine. Elle en fit le tour, plongea la branche d'umurembe dans le pot et aspergea l'umurinzi de gouttelettes de lait en prononçant la formule : « Retourne sans épines, comme l'umurembe. » Quand le petit pot fut vide, elle s'agenouilla au pied de l'arbre et creusa un trou à l'aide d'une pierre plate pour y enterrer le petit pot et la branche d'umurembe. Quand elle se releva, elle crut voir frémir les feuilles de l'érythrine et se sentit comme imprégnée d'une force sereine. « Désormais, pensa-t-elle, l'umuzimu de la reine me sera propice, je suis sa favorite, mais sa favorite en ce monde. »

Comme ils redescendaient vers la villa, le boy accourut vers eux et annonça tout essoufflé :

— Patron, patron ! il y a un visiteur : le vieux padre, celui qui a une grande barbe. Il est venu sur son ipikipiki.

— Ce vieux père Pintard, il monte encore sur sa moto à son âge ! Le voilà qui vient encore me convertir à ses délires bibliques. Il va essayer de te convertir toi aussi. Cela fait vingt ans qu'il essaie. Ne l'écoute pas. N'oublie pas que c'est moi qui t'ai révélé d'où tu viens, de Méroé, je t'y ai reconnue en reine Candace.

Le père Pintard attendait dans le grand salon. La petite chaise de bambou sur laquelle il s'était assis semblait prête à s'affaisser sous son imposante stature. Sa soutane blanche maculée de boue était bardée, tel un chasseur de ses cartouchières, de chapelets à gros grains. Sa longue barbe de patriarche impressionna beaucoup Virginia.

— Fontenaille, bonjour, je vois que vous attirez toujours de candides jeunes filles dans votre chapelle du démon. Si c'est pour vos perversions, ce qui me rassure un peu, c'est que vous n'en avez plus l'âge et que vos préférées sont les reines d'il y a quatre mille ans.

— Bénissez-moi, mon père, parce que j'ai beaucoup péché, répondit en riant Fontenaille, cette jeune fille s'appelle Virginia, je fais son portrait et on verra que c'est aussi celui d'une reine d'il y a deux mille ans.

— Jeune fille, n'écoute pas Fontenaille, écoute-moi plutôt, tu es tutsi je présume, d'ailleurs chez Fontenaille, il n'y a que des Tutsi. Lorsque je suis arrivé au Rwanda, cela fera bientôt quarante ans, on ne jurait que par les Tutsi, les évêques comme les Belges. Il avait fallu changer de roi, mais on allait bientôt baptiser le nouveau, c'était le Constantin qu'on voulait. Et puis les Belges et les évêques ont retourné leur veste, ils ne jurent plus que par les Hutu, les braves paysans démocrates, les humbles brebis du Seigneur. Bon, moi, je n'ai rien à dire, j'obéis à monseigneur et, les jeunes missionnaires, ils gobent tout ce qu'on leur raconte de la demokarasi majoritaire. Mais moi, cela fait près de quarante ans que j'étudie : la Bible d'un côté, les Tutsi de l'autre. Tout est dans la Bible, l'histoire des Tutsi comme le reste.

— Pintard ! Pintard ! Ne nous fatiguez pas avec vos théories absurdes. Virginia ne veut rien entendre.

Mais le père Pintard lui non plus ne voulait rien entendre. Il s'était lancé, toujours semble-t-il à l'adresse de Virginia, dans un interminable monologue qui tenait à la fois du sermon et de la conférence. Sans remonter à Noé, on pouvait commencer avec Moïse. Les Hébreux sortaient d'Égypte. Moïse fendait de son bâton les eaux de la mer Rouge, mais certains se trompaient de route, ils allaient vers le sud, ils arrivaient au pays de Koush, c'étaient les premiers Tutsi, ensuite il y avait la reine de Saba qui elle aussi était tutsi, elle allait rendre visite à Salomon et elle revenait chez elle avec l'enfant que lui avait fait le grand roi et son fils devenait l'empereur d'un pays où les Juifs étaient des Tustsi qui s'appelaient Falashas, et au bout de tout cela Virginia n'avait pas compris pourquoi cela devait finir au Rwanda où les Tutsi étaient les vrais Juifs avec les abiru qui connaissaient les secrets des mines du roi Salomon.

M. de Fontenaille riait, levait les bras au ciel, se versait des rasades de whisky, en offrait à son hôte que celui-ci refusait de plus en plus mollement et finissait par accepter. Virginia n'osait interrompre le père Pintard mais, quand elle s'aperçut que le soleil allait disparaître, elle souffla à l'oreille de Fontenaille :

— Il est tard, il faut que je rentre au lycée, il faut me ramener.

— Excusez-moi, mon père, interrompit Fontenaille, Virginia doit rentrer au lycée. Je dis à mon chauffeur de la reconduire. Mais, Virginia, promets-moi, il faut revenir dimanche : je veux te voir en reine Candace.

— Jeune fille, dit le père Pintard, réfléchissez

bien à ce que je vous ai dit. Cela vous consolera des malheurs de votre peuple.

— Dis-moi, Virginia, as-tu bien fait la reine chez Fontenaille ? dit Veronica.

— J'ai fait ce que je devais faire. Mais j'ai aussi appris que les Tutsi ne sont pas des humains : ici nous sommes des Inyenzi, des cafards, des serpents, des animaux nuisibles ; chez les Blancs, nous sommes les héros de leurs légendes.

La fille du roi Baudouin

À la rentrée des vacances de Pâques, la mère supérieure voulut montrer jusqu'où pouvait aller son libéralisme : elle autorisa les lycéennes à décorer les cloisons de leur « chambre ». Avec goût et modération, avait-elle précisé, et elle avait distribué des images de Notre-Dame du Nil à mettre au-dessus du chevet des lits. Gloriosa vérifia que toutes avaient mis aux côtés de Notre-Dame du Nil la photo du Président. Au Rwanda, toutes les activités humaines se déroulaient sous le portrait tutélaire du Président. Dans les plus humbles boutiques, le portrait du chef de l'État, rougi de poussière, veillait tout en haut de l'étagère où s'alignaient quelques sachets de sel, des allumettes et trois boîtes de lait Nido ; dans les plus sordides cabarets, il oscillait au-dessus des cruches de bière de banane et de l'unique casier de bouteilles de Primus. Dans les salons des riches et des puissants, on rivalisait dans les dimensions, la grandeur du portrait du Président témoignait de l'indéfectible loyauté du fonctionnaire ou du commerçant envers l'Émancipateur du peuple majoritaire. Malheur à la maîtresse de maison qui aurait négligé de débarrasser dévotieusement chaque matin le portrait du leader bien-aimé du moindre grain de poussière.

Il n'y eut que Goretti pour oser critiquer la photo vénérée : « J'aime beaucoup notre Président, avait-elle fait remarquer, mais, au moins pour la photo, il aurait pu s'habiller comme un président, avec un képi, un bel uniforme et des épaulettes, beaucoup de galons sur les manches et un tas de médailles sur sa veste, c'est comme ça que sont tous les présidents, le nôtre, avec son petit costume, il a l'air d'un séminariste. » Autour d'elle, on fit semblant de n'avoir rien entendu. On attendait la réaction de Gloriosa. Celle-ci fut longue à répliquer et surprit par sa modération : « Notre Président n'a pas besoin d'uniforme pour s'adresser au peuple, lui, tout le monde le comprend, ce n'est pas comme toi et ton colonel de père. » Se moquer de la façon de parler des gens du Nord, qui habitaient au pied des volcans et étaient voisins des gorilles, faisait partie des plaisanteries qui ne choquaient guère tant elles étaient convenues. On ne comprenait pas pourquoi Gloriosa n'avait pas déployé son arsenal de menaces habituelles : dénoncer des propos si manifestement subversifs aux instances du parti et, pire encore, à son père... Les plus perspicaces en déduisirent que, décidément, les militaires, et en particulier ceux du Nord, devenaient bien influents et que le Président lui-même devait compter avec eux. Les manières de Goretti leur parurent soudain moins gauches et son langage moins grossier. Elles ravalèrent les moqueries coutumières et multiplièrent à son égard des signes de sympathie et d'attention que Goretti accueillait avec une dédaigneuse bienveillance.

Il s'avéra bien difficile pour les lycéennes de décorer les cloisons de leurs alcôves, comme l'avait recommandé la mère supérieure. On accrocha bien quelques petits panneaux de vanneries ornés des motifs géométriques traditionnels, des napperons brodés de fleurs naïves, des photos des parents ou de la famille tout entière prises à l'occasion du mariage de la sœur ou du frère aîné. Mais les lycéennes n'étaient pas satisfaites du résultat : ce n'était pas ainsi qu'une jeune fille moderne, « évoluée » comme on aurait dit au temps de la colonisation, devait décorer sa chambre. Ce qu'il aurait fallu, elles le savaient bien, c'étaient des photos de jeunes gens aux cheveux longs, des chanteurs avec des lunettes « antisoleil », comme on disait, des filles blondes, vraiment blondes, plus blondes que Mme de Decker, des filles aux longs cheveux blonds en maillot de bain sur la plage telles qu'on en voyait dans les films du Centre culturel français. Bien sûr, de pareilles images, il n'y en avait pas au lycée Notre-Dame-du-Nil, sauf peut-être, suggéra Immaculée, chez les profs français qui étaient jeunes et célibataires, surtout chez M. Legrand qui était barbu et jouait de la guitare. Gloriosa décida que ce serait Veronica qui irait demander à M. Legrand s'il voulait bien donner quelques magazines à ses élèves : « Les filles tutsi comme toi, elles savent s'y prendre avec les Blancs, pour une fois, ce ne sera pas pour dire du mal de la République. » M. Legrand parut flatté de la demande de Veronica et, dès le lendemain, il apporta à son cours une pile de revues : des numéros de *Paris Match* et de *Salut les copains*. « Si vous en voulez encore, ajouta-t-il, vous pouvez venir en demander chez moi. » Quelques-unes se persuadèrent que l'invitation s'adressait à elles en particulier.

On feuilleta fébrilement les revues. De longues négociations furent nécessaires pour le partage et le découpage des photos. On se disputa âprement celles de Johnny Hallyday, des Beatles, de Claude François, côté féminin, celles de Françoise Hardy et sa guitare parurent trop tristes, Tina Turner et Miriam Makeba retinrent l'attention à cause de leur couleur, mais c'est Nana Mouskouri qui obtint le plus de succès grâce à ses lunettes. Toutes voulurent la photo de Brigitte Bardot. Il n'y en avait pas assez. Gloriosa les répartit entre ses favorites. Seules quelques-unes, par prudence ou dévotion véritable, s'en tinrent au portrait du pape et à des vues de Lourdes, de Saint-Pierre de Rome ou du Sacré-Cœur de Paris.

Quand la mère supérieure procéda à l'inspection des « chambres », elle ne put retenir un « Mon Dieu ! » qui exprimait à la fois sa stupeur, son indignation et sa colère.

— Vous voyez cela, dit-elle au père Herménégilde qui l'accompagnait, nous avons cru protéger nos filles des malices du monde et le monde a forcé nos portes. Mais je devine qui leur a donné ces horreurs : je lui en dirai deux mots bien sentis.

— Satan, répondit l'aumônier, prend tous les visages. Je crains que notre Rwanda chrétien soit bien menacé.

La mère supérieure adressa une sévère réprimande aux lycéennes et les priva de sortie pour deux dimanches, sauf bien sûr celles qui avaient affiché le portrait du pape. Elle ordonna aux filles d'arracher elles-mêmes ces images indécentes et de les remettre au père Herménégilde. Cependant, pour faire preuve d'un certain libéralisme, elle exempta de la proscription les photos d'Adamo et de Nana Mouskouri. On remarqua que l'aumônier déchirait ostensiblement les photos des chanteurs mais épargnait celles de Brigitte Bardot et s'efforçait d'en glisser subrepticement quelques-unes dans les poches de sa soutane.

La mère supérieure et le père Herménégilde ne prêtèrent apparemment aucune attention à l'alcôve de Godelive. Ses camarades étaient pourtant très intriguées par la décoration qu'elle avait affichée. Outre les icônes réglementaires de la

Vierge et du Président, elle ne comportait qu'une seule image : les portraits, de pied en cap, du roi et de la reine des Belges, Baudouin et Fabiola. On s'aperçut en outre que les portraits royaux n'étaient pas une illustration découpée dans un magazine mais une véritable photo. Quand on demandait à Godelive pourquoi elle avait choisi une telle photo et comment elle se l'était procurée, elle faisait la mystérieuse, se contentait de répondre qu'elle ne pouvait rien dire, que l'on saurait bientôt. Gloriosa, exaspérée de ne rien savoir, essaya de forcer la valise de Godelive pendant que celle-ci faisait partie de l'équipe chargée du nettoyage de la chapelle. Mais les cadenas résistèrent.

Quelques jours plus tard, la mère supérieure réunit dans la grande salle d'étude tous les élèves et tous les professeurs. Quand elle monta sur l'estrade, elle paraissait tout émue. Elle enveloppa les lycéennes d'un regard inhabituellement maternel : « Mes filles, déclara-t-elle, nous allons vivre un grand événement, un événement historique, je n'ai pas peur de le dire. Notre lycée, le lycée Notre-Dame-du-Nil, va avoir l'insigne honneur de recevoir la reine des Belges, la reine Fabiola. Le roi Baudouin et son épouse viennent en visite officielle au Rwanda. Pendant que le Président et le roi discuteront de la politique et du développement, la reine visitera l'orphelinat de la Première Dame à Kigali, mais elle a tenu à rendre hommage et à encourager la politique de promotion féminine du gouvernement rwandais dont notre lycée est le meilleur exemple. Vous connaissez la générosité et la piété de la reine Fabiola. Elle viendra donc visiter notre lycée. Nous devons lui réserver un accueil qui lui montrera l'image du Rwanda tel qu'il est à présent : un Rwanda pacifique et chrétien. Elle sera accompagnée de la ministre de la Promotion féminine, peut-être de Madame la Présidente, on ne sait pas encore. Elle restera peut-être une journée ou une demi-journée, je n'ai pas reçu l'emploi du temps définitif. De toute façon, nous avons un mois pour nous préparer à cet événement extraordinaire. Les cours seront allégés s'il en est besoin. Je compte sur vous toutes, et sur vous, messieurs les professeurs, pour contribuer ardemment à la réussite de cette journée qui restera pour toujours gravée dans nos mémoires. »

Le joyeux tumulte qui envahit le lycée durant les préparatifs de la visite royale ravit toutes les élèves. Ce n'étaient qu'allées et venues, cris, brouhaha, tapage des boys qui repeignaient les couloirs, les salles de classe, le réfectoire, la chapelle. On déménageait les pupitres de la grande salle d'étude, on tendait les murs de tissu de pagne aux effigies du Président et du roi des Belges. Les cours étaient brusquement interrompus par le frère Auxile qui venait chercher les choristes pour une répétition, puis surgissait la professeur de Kinyarwanda qui sélectionnait les danseuses. Presque chaque jour, une délégation montait de la capitale pour donner des directives, s'assurer de l'avancement des préparatifs, décider des mesures de sécurité. Le ministre de l'Éducation nationale dépêcha son chef de cabinet, l'archevêque l'un de ses grands vicaires, l'ambassadeur de Belgique son premier attaché. Le chef du protocole de la présidence vint en personne et s'entretint longtemps avec la mère supérieure et le bourgmestre. Celui-ci qui ne quittait plus le lycée s'essoufflait, s'épongeait dans les couloirs et les escaliers, de visiteurs en visiteurs, voulant devancer protocolairement la mère supérieure. À l'arrivée inopinée d'une Land Rover ou d'un véhicule militaire, les élèves se précipitaient aux fenêtres et il y en avait toujours pour reconnaître, parmi les passagers qui descendaient des voitures officielles, un frère, un oncle, un cousin, un voisin, un ami. Sans attendre l'autorisation, malgré les menaces impuissantes du professeur, elles quittaient la classe pour aller le saluer.

Le lycée bourdonnait d'activités insolites. Pour montrer les progrès de l'émancipation féminine, on décida, passant outre les réticences de la mère supérieure et sur les instances de la ministre de la Promotion féminine, de raccourcir les jupes des uniformes. Le même ministère expédia des chemisiers blancs pour remplacer les anciens de couleur jaune. Ils étaient presque transparents, ce que sembla apprécier le père Herménégilde, malgré les réticences qu'il affichait devant la mère supérieure. Tout un après-midi fut consacré aux essayages et à coudre sur le boléro des écussons aux couleurs du Rwanda et de la Belgique, à droite celui de la Belgique, à gauche, sur le cœur, celui du Rwanda. Les filles de seconde tressèrent, pour les offrir à la reine, des vanneries sur lesquelles elles brodèrent en fibres rouges et noires VIVE LA REINE, VIVE LE PRÉSIDENT, LONGUE VIE À L'AMITIÉ BELGO-RWANDAISE. Les chansons composées par le frère Auxile subirent la censure du bourgmestre et surtout de Gloriosa, l'œil du Parti. Elle trouva que l'éloge appuyé des rois et des reines ne convenait pas en République, dans un pays qui s'était libéré, il y a peu, de la tyrannie des Bami et de toute l'aristocratie. On proposa au compositeur de célébrer la houe paysanne et le développement pacifique du pays rendu au petit peuple grâce à la sagesse de son Président et, bien entendu, avec l'aide de la Belgique et, s'il y tenait, à la protection manifeste d'Imana et de la bonne Vierge. Le frère Auxile s'exécuta de son mieux, mais les lycéennes refusèrent tout net d'apprendre *La Brabançonne* qu'il proposait de chanter après l'hymne national.

La population de Nyaminombe fut mobilisée pour accueillir la reine. Bien sûr, celle-ci n'aurait pas le temps d'aller jusqu'à la commune située à trois kilomètres du lycée, mais tous les habitants formeraient une haie d'honneur au bord de la route en agitant des petits drapeaux rwandais et belges dont on attendait la livraison. La foule acclamerait le cortège aux cris de

« Fabiola oyé ! Président oyé ! ». On avait proscrit le mot reine, umwamikazi, de peur qu'il n'éveille chez quelques-uns des nostalgies surannées. Les imiganda, les travaux communautaires, furent consacrés à combler les ornières de la piste. On planta de part et d'autre des branches d'eucalyptus, les bananiers qui décorent habituellement les bas-côtés des routes où passent les cortèges officiels ne poussant guère à cette altitude. Un peloton de militaires établit son campement à proximité du lycée et multiplia les patrouilles. On espérait que la reine ne manifesterait pas le désir de pousser sa visite jusqu'à la source du Nil (ce n'était d'ailleurs pas au programme) car on n'avait ni le temps ni les moyens de restaurer la statue mise à mal par les intempéries.

L'attitude de Godelive restait toujours mystérieuse. Elle suivait d'un air entendu les préparatifs de la visite, y participait le moins possible et ne répondait à aucune question. Ce qui agaçait prodigieusement ses camarades. Cependant, plus que toutes les autres, elle guettait l'arrivée des véhicules dans la cour du lycée et sursautait à chaque claquement de portière. On remarqua qu'elle avait rangé toutes ses affaires dans sa valise comme si elle s'apprêtait à quitter le lycée. Une semaine avant le grand jour, Godelive fut appelée au bureau de la mère supérieure. Toute la classe de terminale l'attendait à la sortie et l'accompagna jusqu'à sa « chambre ». Elle alla s'asseoir sur le lit et, après un long silence, voyant que ses camarades n'étaient pas décidées à la laisser, elle finit par parler :

— Écoutez, je vais vous faire mes adieux, je pars et sans doute pour longtemps.

— Où vas-tu ?

— En Belgique, je pars avec la reine.

Un murmure d'étonnement parcourut l'auditoire.

— Tu pars avec la reine ?

— C'est un secret. Je vais vous le dire, mais il ne faut pas le répéter. À personne. Surtout pas aux autres classes. Jurez-le-moi.

On lui fit les plus solennelles promesses de garder le silence.

— Vous savez que Baudouin et Fabiola n'ont pas d'enfants. Ils ne peuvent pas avoir d'enfants. Je ne sais si c'est à cause de lui ou d'elle. C'est triste de ne pas avoir d'enfants, encore plus pour un roi et une reine. Ils sont désespérés. Alors le Président a pensé que, puisqu'ils venaient au Rwanda, qu'il les avait invités, le plus beau cadeau à leur faire, c'était de leur offrir un enfant. Vous savez bien que c'est ce qu'on doit faire chez nous. Une famille sans enfants, ce n'est pas une famille. On ne peut pas la laisser dans ce malheur. Le plus grand des malheurs ! Alors un frère, un parent, un voisin qui a beaucoup d'enfants doit lui en céder un. Si on ne le fait pas, c'est qu'on les méprise, qu'on leur veut du mal. Si tu offres un de tes enfants, bien sûr il entre dans une autre famille, mais il reste quand même toujours le tien. Tu as sauvé une famille, elle te devra toujours respect et reconnaissance. C'est cela que veut faire notre Président : il donne sa fille pour le Rwanda.

— Et c'est toi qu'il va donner au roi des Belges ? À ton âge ! Grosse comme tu es ! Avec les notes que tu as ! Tu te vois en fille de Fabiola !

— Mais non, il va donner une de ses filles, Merciana, la cadette. Elle a neuf ans et puis elle est très claire, elle ressemble à sa mère. On dirait presque une Blanche.

— Et toi alors, qu'est-ce que tu fais là-dedans ?

— Moi, j'accompagne Merciana en Belgique. Il faut qu'elle ait quelqu'un avec qui elle puisse parler kinyarwanda pour qu'elle n'ait pas trop le mal du pays et qui lui cuisine des bananes ou du manioc quand elle en a trop envie.

— Ah ! Tu vas être sa boyesse ! Là d'accord !

— Vous vous prétendez intelligentes, mais vous n'y connaissez donc rien. Toutes les reines et les princesses ont des suivantes, même chez nous autrefois. Ce sont de grandes dames, des filles de bonne famille, de haute noblesse qui sont choisies. On les appelle des dames de compagnie. C'est un grand honneur d'être la dame de compagnie d'une reine ou d'une princesse.

— Et pourquoi est-ce toi que le Président a choisie ?

— Mon père, il ne fait pas de politique. C'est un banquier, comme vous savez. Il est riche. Il connaît le Président depuis très longtemps. Ils étaient ensemble à la Légion de Marie. Il a confiance. Le Président lui a dit : « Avec une de tes filles, instruite dans le meilleur lycée du Rwanda, je suis rassuré, elle veillera bien sur ma petite Merciana. Je fais cela pour le Rwanda. En donnant mon enfant, je sauve le Rwanda de la misère : en échange les Blancs seront bien obligés de nous aider. Nous ferons partie de la famille. C'est plus qu'un pacte de sang. Merciana aura deux pères, moi et le roi Baudouin, nous sommes liés par cet enfant commun. » Alors mon père n'a pas hésité : j'ai été désignée pour accompagner la fille du Président. Après tout, je suis née en Belgique et, même si je ne m'en souviens pas très bien, peut-être que je suis quand même un peu belge, c'est mieux pour s'adapter. Maintenant, laissez-moi, j'ai ma valise à finir.

Toute la classe se réunit aussitôt à la bibliothèque pour discuter des révélations de Godelive. Pour que personne ne puisse saisir une bribe du débat, on décida de s'enfermer discrètement dans la réserve des archives. Goretti déclara aussitôt qu'elle ne croyait pas un mot de ce qu'avait dit Godelive, qu'elle s'inventait des histoires. Si le Président donnait vraiment son enfant, comment aurait-il pu choisir la fille la plus laide et la plus bête du lycée pour l'accompagner ? À moins que son père n'ait payé pour cela ou qu'il n'ait fait on ne sait quelle promesse. Gloriosa ne put contenir son indignation :

— Tu insultes encore notre Président. Cela pourrait mal finir pour toi. Godelive l'a dit, il donne sa fille pour sauver notre pays. Merciana ne sera peut-être pas la reine, mais elle sera une princesse en Belgique. On la mariera avec un prince. Les Belges seront bien obligés de nous aider. Ce serait honteux pour eux que le pays d'une de leurs princesses reste toujours si pauvre. Et Godelive est une vraie Rwandaise, on ne peut pas s'y tromper, cela ne s'évalue pas aux notes et encore moins à la beauté, elle représentera bien le peuple majoritaire.

— Mais, dit Modesta, si Fabiola est stérile, pourquoi Baudouin ne prend-il pas une autre femme ? Cela peut se faire chez les rois car il faut absolument qu'ils aient un successeur.

— Baudouin est très catholique, il ne peut pas divorcer.

— On peut toujours s'arranger avec le pape. Cela se fait pour les rois. Ce ne sont pas de simples gens. Ils paient, ils donnent des matabiches et le pape finit par dire que le mariage n'était pas valable.

— Écoutez, dit Immaculée, je vais vous révéler quelque chose : ce n'est pas Fabiola qui est stérile, c'est Baudouin qui est impuissant.

— Oh ! d'où sors-tu cela ? Tu n'as pas honte ! Si ta mère t'entendait !

— Je l'ai entendu dire par mon père. Il le raconte souvent à ses amis. Je l'ai entendu raconter cela pendant que je leur servais la Primus au salon. Cela les faisait bien rire. Mon père, il était à Kinshasa le jour de l'indépendance du Congo, à cette époque, c'était encore

Léopoldville. Je ne sais pas s'il a tout vu ou s'il l'a entendu dire, mais voilà ce qu'il raconte.

« Le roi Baudouin est arrivé de l'aéroport. Il était debout, dans une voiture décapotable, une grosse américaine, comme on en voit dans les films. Baudouin était debout, très grand, très raide, il ne bougeait pas, on aurait dit une statue. Il portait un bel uniforme, tout blanc avec un grand képi et, à son côté, il y avait son sabre, plein de dorures, le sabre du roi. Kasavubu, lui, il paraissait tout petit. Il y avait une grande foule sur le boulevard et beaucoup de policiers. Des Blancs. Alors quelqu'un est sorti de la foule. C'était un jeune homme bien habillé, en costume cravate. Il a réussi, on ne sait comment, à franchir le barrage des policiers, il a couru après la voiture du roi qui roulait très lentement. Et hop ! Tout d'un coup il a saisi le sabre, il a volé le sabre du roi, il l'a brandi à deux mains au-dessus de sa tête pour bien montrer qu'il s'était emparé du sabre du roi des Belges. La voiture a continué à avancer. Le roi était toujours debout, immobile, sans bouger, comme si rien ne s'était passé, comme s'il ne s'était aperçu de rien. On aurait dit qu'il était envoûté. Peu après on a attrapé un homme avec le sabre du roi. Mais tout le monde a dit que ce n'était pas lui qui avait dérobé le sabre du roi. Le vrai voleur, c'était Mahungu, pas un homme, un esprit, un umuzimu, un démon comme dirait la mère supérieure. Mahungu, que ce soit un homme ou un esprit, ou un homme possédé par l'esprit de

Mahungu, c'était un grand sorcier, il a empoisonné le sabre du roi, il a mis des dawa dans le sabre. On a rendu le sabre à Baudouin et Baudouin est devenu impuissant. On a tout fait pour le soigner. Il a consulté tous les médecins d'Europe et d'Amérique, mais les dawa ont été les plus forts. Les médecins blancs n'ont rien pu faire. On a même fait venir à Bruxelles des sorciers de Tanzanie, du Buha, mais là je crois que mon père exagère. Ce qui est sûr, c'est que Baudouin n'aura jamais d'enfants. Voilà, c'est ce que raconte mon père.

Toute la classe approuva l'histoire d'Immaculée. Goretti résuma l'opinion de toutes :

— Oui, il faut toujours se méfier. Il y a toujours des empoisonneurs qui cherchent à vous rendre stérile. J'en connais. Ne vous approchez pas trop de Fabiola, elle est sans doute empoisonnée elle aussi, et c'est peut-être contagieux.

Les jours suivants, on se demanda si ce serait une voiture de la Présidence qui viendrait chercher Godelive ou si elle partirait après la visite en compagnie de la reine. Godelive ne parlait plus à personne et se contentait de répondre par un sourire hautain à celles qui lui adressaient la parole. Goretti était toujours persuadée que tout cela n'était que mensonges et vantardises. Gloriosa, n'ayant reçu aucune directive du parti, restait dans une prudente réserve tout en faisant remarquer que, dans l'intérêt du Rwanda, on aurait pu choisir quelqu'un de plus « politique » pour conseiller Merciana qui était bien jeune. Godelive n'invitait qu'Immaculée à venir dans sa « chambre ». Immaculée était considérée dans tout le lycée comme l'arbitre des élégances et était réputée connaître les secrets de beauté des Blanches.

D'après ce qu'elle raconta au reste de la classe, Godelive lui posait des questions sur le maquillage et la coiffure : elle avait remarqué que Mme de Decker avait les ongles rouges, elle voulait tout savoir sur le vernis à ongles et ce qu'il fallait faire pour les ongles des orteils et est-ce qu'il n'y avait pas aussi un vernis pour les lèvres ? Et les parfums, pas les amarachi, ceux qu'on pouvait trouver chez le Pakistanais, mais les vrais, ceux dont s'aspergeaient les Blanches, qui venaient de Paris, quels étaient leurs noms ? Mais il y avait surtout les produits pour blanchir la peau qui devaient être plus efficaces que les tubes de Vénus de Milo qu'on achetait au marché, elle avait vu, dans les magazines qu'avaient donnés M. Legrand, des Noires, sans doute américaines, qui étaient presque blanches et avaient de longs cheveux lisses, d'un noir brillant, il y en avait même, Godelive se demandait comment, qui étaient devenues blondes.

Godelive était très inquiète. De quoi aurait-elle l'air parmi toutes ces dames qui étaient blanches, blondes et parfumées. Ce que racontait Immaculée faisait beaucoup rire la classe mais, deux jours avant la visite de la reine, une grosse voiture noire vint, au petit matin, chercher discrètement Godelive. Les lycéennes qui s'étaient précipitées en chemise de nuit ne purent apercevoir que la Mercedes qui franchissait le portail et Godelive qui, par la lunette arrière, faisait de grands gestes. Certaines dirent que c'était pour leur dire adieu, d'autres que c'était pour les narguer.

Cette même journée apporta aussi une grande déception. Le bourgmestre essoufflé vint informer la mère supérieure des instructions qu'il venait de recevoir par téléphone, de la Présidence. La mère supérieure réunit les professeurs et tout le personnel pour leur faire part des nouvelles dispositions qu'il convenait de prendre. On mettrait ensuite, avec ménagement, les élèves au courant. L'emploi du temps de la reine Fabiola était surchargé. Elle devait, outre l'orphelinat de Mme la Présidente, remettre un don au centre d'accueil des enfants handicapés de Gatagara, visiter le noviciat des sœurs Benebikira Maria. Bien sûr, le lycée Notre-Dame-du-Nil était toujours à son programme, mais elle ne pourrait lui consacrer plus d'une heure. Elle ne voulait en aucun cas déranger l'emploi du temps des élèves, mais elle tenait à assister, au moins quelques instants, à un cours pour encourager les élèves et saluer les efforts que faisait le gouvernement en faveur de l'instruction féminine. Il fallait donc abréger les discours de bienvenue, renoncer à la plupart des chansons du frère Auxile, écourter les danses. On ne ferait plus le détour par la grande salle d'étude, mais on accueillerait la reine dans la cour si le temps le permettait, sinon on se replierait dans le hall d'entrée. Il fut convenu que la reine assisterait — environ dix minutes, avait précisé le bourgmestre — au cours de géographie de sœur Lydwine. Il porterait sur l'agriculture au Rwanda. On ferait une répétition dans l'après-midi. On essaierait de prévoir les questions que pourrait poser Fabiola et les réponses à lui donner. Juste avant le départ de la souveraine, les terminales lui offriraient les cadeaux et la chorale du frère Auxile chanterait l'hymne national et quelques-unes des chansons si on en avait le temps.

Les professeurs belges protestèrent : on leur avait promis qu'ils seraient présentés personnellement à leur reine et qu'ils pourraient s'entretenir quelques instants avec elle. On leur accorda de se tenir dans le couloir, devant les classes ; au passage de Fabiola, ils pourraient la saluer, elle adresserait sans doute quelques mots à chacun. Les professeurs français dirent qu'ils n'étaient pas concernés mais qu'ils prendraient quelques photos en souvenir. Le bourgmestre le leur interdit formellement.

Le lendemain, veille de la visite royale, fut encore bien agité. On vit arriver les agents de la Sûreté. Ils étaient accompagnés de cinq messieurs blancs en costume sombre, des Belges assurément. Ils paraissaient pressés, marchaient si vite que le bourgmestre avait toutes les peines à les suivre. Ils s'entretinrent avec la mère supérieure dans son bureau, se renseignèrent sur l'état d'esprit des élèves, consultèrent la liste des professeurs, demandèrent des précisions sur les jeunes coopérants français. Ils interrogèrent le bourgmestre sur le climat qui régnait dans sa commune, celui-ci leur assura que le plus grand calme y régnait, que l'état d'esprit de la population était excellent, qu'elle attendait l'événement avec impatience et que la reine pouvait compter sur un accueil chaleureux, qu'il avait lui-même organisé et supervisé tous les préparatifs depuis un mois, chaque jour, du lever au coucher du soleil et même parfois une bonne partie de la nuit. Mais les Blancs, qui n'ont aucune politesse, l'interrompirent et lui demandèrent d'abréger. Il eut quand même le temps de leur conseiller de faire surveiller les enclos des quelques Tutsi, ce qu'approuvèrent les agents rwandais. Les policiers inspectèrent de fond en comble le lycée. La sœur intendante dut même leur ouvrir la porte de sa réserve où personne d'autre qu'elle n'avait le droit d'entrer. Tandis qu'ils fouillaient derrière les piles de boîtes de corned-beef et de confitures, elle faisait tinter son trousseau de clés en signe de protestation. Les policiers donnèrent leurs consignes au bourgmestre et à la mère supérieure. Deux d'entre eux, un Belge et un Rwandais, restèrent au lycée. On les installa dans le bungalow des hôtes.

À peine la jeep de la Sûreté s'était-elle éloignée qu'un minibus bringuebalant s'arrêta dans la cour. Trois Blancs, vêtus d'un short et d'une veste de toile kaki, coiffés d'un chapeau de brousse, en descendirent. Ils étaient suivis d'un Noir en chemise et cravate d'un rouge vif. Le Noir qui se révéla être journaliste à Radio Rwanda demanda à voir la mère supérieure. Il exhiba une autorisation de photographier émanant du ministère de l'Information et présenta ses compagnons comme de grands reporters travaillant pour un quotidien belge et un hebdomadaire français. Ils voulaient faire un reportage sur le lycée Notre-Dame-du-Nil qui, affirmaient-ils, était reconnu en Belgique et ailleurs comme un lycée pilote, un modèle pour la promotion féminine dans l'Afrique centrale. Ils prendraient des photos et intervieweraient quelques professeurs et surtout, dans la mesure possible, des élèves, et, bien sûr, la révérende mère elle-même. Celle-ci, flattée mais un peu inquiète, leur recommanda la plus grande discrétion et leur donna pour guide et mentor le père Herménégilde. Les journalistes retournèrent à leur minibus et en revinrent bardés d'appareils photo et de magnétophones.

La curiosité ou plutôt l'indiscrétion des journalistes choqua profondément le père Herménégilde. Les Blancs voulaient tout voir, tout enregistrer. Non seulement ils photographièrent la chapelle, les classes (on avait prévenu à temps sœur Lydwine qui fit devant eux le cours préparé pour la reine), mais ils tinrent à visiter les dortoirs, les alcôves des terminales et leur décoration, ils tâtèrent les lits, demandèrent où étaient les douches, ils s'introduisirent même dans les cuisines, soulevèrent le couvercle des marmites et allèrent jusqu'à goûter les haricots que préparait sœur Kizito. Ils ne semblaient prêter aucune attention aux discours et aux commentaires du père Herménégilde qui leur vantait les efforts titanesques et les succès prodigieux du gouvernement en faveur de l'éducation des filles, ils préféraient poser aux élèves des questions incongrues, déplacées, impertinentes : se plaignaient-elles de la nourriture ? ne se sentaient-elles pas trop isolées ? que faisaient-elles de leurs sorties ? avaient-elles un petit ami ? que pensaient-elles du planning familial ? étaient-ce les parents qui choisiraient leur futur mari ? étaient-elles hutu ou tutsi ? au lycée, combien de Hutu, combien de Tutsi ? Le père Herménégilde leur faisait signe de se taire mais certaines, fières de s'adresser au micro, s'embrouillaient dans d'interminables réponses et demandaient pour finir : « Est-ce qu'on m'entendra à la radio ? »

Il fallut réunir les danseuses, ils voulaient absolument les filmer. Au gymnase, ils apprécièrent beaucoup les jeunes filles (c'étaient les terminales) en tenue de sport. Veronica attirait irrésistiblement les appareils photo. Les journalistes lui demandèrent de monter sur l'estrade, de poser seule, de face, de profil. « Elle pourrait faire la couverture, excellent, excellent ! » disaient-ils. Gloriosa, furieuse, leur demanda pourquoi ils ne s'intéressaient qu'à Veronica. Ils éclatèrent de rire et dirent : « Bon, on va prendre ta photo aussi. »

Au moment où ils s'apprêtaient à regagner leur véhicule, le père Herménégilde leur rappela qu'ils devaient interviewer la mère supérieure. « Plus le temps, dirent-ils, nous avons déjà tout ce qu'il nous faut. Remerciez bien la révérende mère. On voudrait aller jusqu'à la source du Nil. Il y a quelqu'un pour nous accompagner ? » Le père Herménégilde, indigné par leurs manières, leur expliqua longuement, en représailles, que c'était impossible, que la piste avait été emportée par un glissement de terrain. « D'ailleurs, ajouta-t-il, il commence à pleuvoir, partez vite si vous ne voulez pas, vous aussi, être bloqués en redescendant vers la capitale. » Le journaliste de la radio et le chauffeur approuvèrent fortement les conseils du père Herménégilde et le minibus démarra au grand soulagement de l'aumônier.

On attendit la reine. Longtemps. Sur chaque colline, les chefs de cellule avaient essayé de rameuter toute la population valide. Beaucoup rechignaient. Surtout les femmes. Elles avaient toujours un champ de petits pois ou d'éleusine à sarcler, cela ne pouvait attendre, et puis il y avait le bébé qui était très malade, il ne supporterait pas d'être dans le dos, sous le soleil ou sous la pluie, toute une journée. On finit par rassembler assez de monde pour garnir sur deux kilomètres les bas-côtés de la piste. On distribua aux enfants de l'école primaire, près de la commune, les petits drapeaux belges et rwandais. Le moniteur leur montra comment les agiter et leur fit une dernière fois répéter la chanson qu'il avait composée pour souhaiter la bienvenue à la reine : « Vous faites comme si c'était le Président », leur recommanda-t-il.

Le lycée, lui, était en pleine effervescence. Les élèves, dont certaines n'avaient pu fermer l'œil de la nuit, s'étaient levées bien avant la sonnerie du réveil et le grincement du portail. On s'échangeait, on se disputait les miroirs, les peignes, les tubes de crème Vénus de Milo. On n'en finissait pas de démêler ses cheveux, enviant celles qui avaient le privilège d'être défrisées. Chacune se demandait comment se faire remarquer par la reine ou, ce qui était peut-être plus important, par la ministre qui l'accompagnerait. Mais comment faire puisque toutes portaient le même uniforme ? Il n'était pas question de faire des signes, encore moins des clins d'œil. On s'exerçait à charger son sourire d'enthousiasme et d'admiration. Certaines comptaient sur leur teint clair et leurs cheveux lisses, mais la plupart s'en remettaient au hasard : la reine s'arrêterait peut-être devant elles, leur adresserait quelques mots. Et elle ne les oublierait plus. Mais ça, ce serait un miracle et il n'y avait que Notre-Dame du Nil pour en décider.

Pour le petit déjeuner, la sœur intendante avait ouvert quelques-unes des grandes boîtes de confitures qu'on réservait pour le pique-nique du pèlerinage ou la venue de Monseigneur. Puis les lycéennes durent à regret regagner leurs classes puisque la reine désirait découvrir le lycée dans ses activités habituelles. Sœur Lydwine répéta donc sans se lasser son cours de géographie et s'assura que les élèves répondraient avec spontanéité et naturel aux questions prévues. Les autres professeurs renoncèrent vite à faire cours : leurs élèves se précipitaient toutes vers les fenêtres dès qu'elles croyaient avoir entendu des bruits annonçant l'arrivée du cortège tant attendu. D'ailleurs les professeurs belges restaient figés sur leur chaise de peur de froisser leur costume ou de le saupoudrer de poussière de craie. Les chanteuses et les danseuses qui avaient été sélectionnées attendaient dans le gymnase, prêtes au signal du frère Auxile à se disposer dans la cour. Les deux policiers arpentaient les couloirs. Le bourgmestre, haletant, faisait des va-et-vient entre la piste et le lycée. Le père Herménégilde, sur le perron de la chapelle, répétait, à haute voix et en faisant de grands gestes, son allocution de bienvenue. La mère supérieure était partout : elle essayait de rétablir l'ordre dans les classes, elle envoyait un professeur français qui s'était présenté col ouvert chercher une cravate, elle rectifiait l'ordonnance des lits dans les dortoirs, elle appelait les boys pour passer encore une fois une éponge sur les tables du réfectoire et une serpillière dans les douches, elle découvrait dans chaque encoignure d'imaginaires toiles d'araignées, elle dénonçait d'un doigt rigoureux un filet de poussière sur les tranches supérieures des livres de la bibliothèque, elle rappelait à sœur Kizito la taille réglementaire des frites de manioc…

On attendait la reine pour 9 h 30. À 10 heures, c'est la pluie qui survint. Les nuages, jusque-là accrochés aux sommets de la crête, couvrirent tout le versant et ensevelirent le lycée. Au bord de la piste, beaucoup en profitèrent pour s'esquiver. Puis le brouillard s'effilocha en filaments éphémères, mais les gros nuages immobiles se mirent à déverser leurs cataractes de pluie.

Peu avant 10 h 30, on vit sœur Gertrude courir dans le couloir tout au long des classes criant : « La voilà ! La voilà ! » Les élèves qui, sous les injonctions sans appel de la mère supérieure avaient fini par regagner leurs places, se précipitèrent toutes à la fois vers les fenêtres. À travers les vitres ruisselantes, elles virent deux jeeps militaires dont on avait déplié la capote se mettre en position de part et d'autre du portail, puis quatre Range Rover couvertes de boue vinrent se ranger le long des quatre marches qui menaient à la porte du hall d'entrée. Les passagers en descendirent, au moins une douzaine, comptèrent les lycéennes : autant d'hommes et autant de femmes, autant de Noirs, autant de Blancs. Deux d'entre eux coururent vers le véhicule qui s'était garé au plus près des marches, déployèrent de grands parapluies et ouvrirent la portière. La reine ! — ce ne pouvait être que la reine — et la ministre ! — c'était bien sûr la ministre — sortirent de la voiture pour s'abriter sous les parapluies, mais sous la capuche de leurs capes imperméables il était impossible de distinguer leurs visages. La mère supérieure, le père Herménégilde, le bourgmestre, qui attendaient sur la plus haute marche, s'inclinèrent respectueusement, et la reine, la ministre et leur suite, sans prendre le temps de leur répondre, s'engouffrèrent précipitamment dans le hall d'entrée.

Les choristes et les danseuses qu'on avait entassées dans le hall à cause de la pluie racontèrent à leurs camarades la scène de l'accueil. La mère supérieure adressa un mot de bienvenue aux hôtes illustres qui honoraient de leur visite le lycée Notre-Dame-du-Nil perdu dans ses montagnes, puis le père Herménégilde se lança dans son allocution qu'il avait corrigée et reprise jusqu'à la dernière minute, mais la reine, sur un signe discret d'un des membres de sa suite qui regardait sans cesse sa montre, interrompit d'un compliment habilement glissé le flot d'éloquence de l'aumônier qui menaçait d'être intarissable. La reine, qu'on avait dès l'entrée débarrassée de sa cape et qui était maintenant coiffée d'un immense chapeau, déclara qu'elle était heureuse et fière de visiter le lycée Notre-Dame-du-Nil qui formait, dans un esprit chrétien et démocratique, la future élite féminine du pays. Elle avait tenu à encourager personnellement les efforts des élèves, des enseignants et ceux du gouvernement en ce sens. La ministre souligna que le

Président, soutenu par le peuple majoritaire, travaillait sans relâche au développement du pays, impossible sans le concours des femmes dont l'éducation, selon la morale chrétienne et les principes démocratiques, était l'une de ses priorités. Les éclairs des flashs des deux photographes de la suite de la reine firent sursauter le bourgmestre qui crut un instant à un attentat. L'homme qui regardait sans cesse sa montre vint parler à l'oreille de la mère supérieure qui, aussitôt, invita la reine et la ministre à poursuivre la visite et à se rendre, comme elle en avait exprimé le souhait, dans les classes, auprès des élèves et de leurs professeurs. On avait préparé quatre chansons avec le frère Auxile, se plaignirent les choristes et on n'en a chanté qu'une et encore on l'a chantée pendant que tout le monde montait l'escalier, on ne sait même pas si la reine et Mme la Ministre l'ont entendue.

La reine tint en fin de compte à visiter toutes les classes. Dans chacune d'elles, le professeur se présentait à la reine qui lui répondait par quelques mots, puis elle adressait ses félicitations et ses encouragements aux élèves. Son visage semblait porter le masque d'un sourire immuable sauf quand elle consultait d'un bref regard l'homme à la montre. Dans la classe de M. de Decker, on s'étonna de la révérence de son épouse qui avait accompagné son mari pour saluer la souveraine. Fabiola s'attarda, comme il avait été convenu, quelques minutes de plus dans la classe de sœur Lydwine, laissa la professeur poser trois questions puis, satisfaite des réponses, demanda aux élèves ce qu'elles voulaient faire plus tard : infirmières, assistantes sociales, sages-femmes ? Pour ne pas la décevoir, les lycéennes interrogées choisirent, un peu au hasard, l'une des trois professions qu'on leur proposait. L'homme à la montre manifestait des signes d'impatience. La reine, la ministre et sa suite regagnèrent rapidement le hall d'entrée où les terminales, qu'on avait fait descendre pendant que Fabiola était chez sœur Lydwine, l'attendaient pour lui offrir les cadeaux. Gloriosa et Goretti lui remirent les vanneries et les napperons brodés. Après les avoir admirés, la reine les tendit à une dame de la suite, remercia vivement les deux élèves, demanda leurs noms et les embrassa sur les deux joues. Puis, encadrée par Gloriosa et Goretti, la reine prit la parole, déclarant qu'elle garderait un souvenir inoubliable de sa visite, trop courte à son gré, au lycée Notre-Dame-du-Nil, qu'elle était enthousiasmée par ce qu'elle venait de voir et qu'on pourrait toujours compter sur elle pour soutenir l'effort que déployait ce beau pays en faveur de l'éducation et de la promotion féminine. Après avoir salué la mère supérieure, le père Herménégilde et le bourgmestre, la reine Fabiola et la ministre regagnèrent à l'abri des parapluies la Range Rover boueuse, tandis que les membres de la suite se précipitaient en désordre vers les autres véhicules.

Précédé des deux jeeps militaires, le cortège

franchit le portail, s'éloigna sur la piste et s'effaça derrière le rideau de pluie.

La visite de la reine Fabiola alimenta longtemps les conversations des lycéennes. On regrettait qu'elle ait été si courte et que le beau programme qu'on avait si longuement et si soigneusement préparé n'ait pu se dérouler comme prévu : les choristes et les danseuses étaient les plus amères. Pourquoi la reine était-elle si pressée ? Cela avait paru bien choquant de la part d'une reine. Est-ce qu'on marche si vite quand on est une reine ? Ou même quand on est une femme qui se respecte ? On reconnaissait bien là les mauvaises manières des Blancs. Veronica donna l'exemple des bamikazi d'autrefois : elles, elles savaient se déplacer avec une digne lenteur, comme si elles comptaient chacun de leurs pas, l'idée ne serait venue à personne de leur dire de se dépêcher comme paraissait le faire l'homme à la montre : le temps, c'étaient elles qui en décidaient. Gloriosa répliqua aussitôt que ces reines étaient des Tutsi, donc des paresseuses qui n'avaient jamais touché une houe, des parasites que les corvées du pauvre peuple devaient nourrir. Et que ce n'étaient pas là de bonnes manières pour les vraies Rwandaises.

Modesta fit remarquer qu'avec tous les bracelets qu'elles portaient aux bras et les anneaux aux jambes, elles ne pouvaient avancer sans qu'on les soutienne.

Le débat portait surtout sur la beauté de

Fabiola. La plupart la trouvaient vraiment belle, plus belle que Mme de Decker, blanche, plus blanche que toutes les femmes blanches de la capitale. D'ailleurs tout était blanc chez elle : elle portait une jupe blanche, une veste blanche, un peu comme un veston d'homme, des chaussures blanches qui étaient restées, on se demanda comment, immaculées. Certaines regrettèrent qu'elle n'ait pas mis une robe très longue, avec une traîne, une vraie robe de reine, comme sur les illustrations du livre d'histoire, comme celle de Cendrillon. Immaculée expliqua sentencieusement que la reine portait un tailleur, que c'était comme ça que s'habillaient les Blanches, chez elles, en Europe.

— Elle n'est pas plus belle que la reine Gicanda, ne put s'empêcher de faire remarquer Veronica.

— Ta ci-devant reine, Gloriosa explosa, sa soi-disant beauté ne lui a pas servi à grand-chose. On l'a bouclée dans sa villa à Butare, je ne lui prédis pas un bel avenir. Et vous, les Tutsi, vous vous croyez toujours les plus belles du monde, mais, à présent, la beauté a changé de camp. Votre prétendue beauté vous portera malheur.

Et puis il y avait le chapeau. Le mystère du chapeau. Un immense chapeau, blanc lui aussi, avec des nœuds de soie rose, des plumes et des fleurs, un vrai jardin, le jardin d'Éden comme aurait dit le père Herménégilde. Comment avait-il fait pour tenir sous la capuche qui avait abrité Fabiola de la pluie ? l'avait-elle mis sous les parapluies avant de rentrer dans le hall ? C'était là le mystère. En tout cas, toutes le reconnaissaient, c'était un vrai chapeau de reine, mieux qu'une couronne, jamais on n'en avait vu de pareil au Rwanda. Il n'y avait qu'une reine pour supporter un tel monument sur la tête.

On attendait avec impatience des nouvelles de Godelive. Le roi et la reine avaient-ils emmené avec eux la fille du Président ? L'avaient-ils vraiment adoptée comme leur propre fille, serait-elle vraiment comme leur propre fille ? Et Godelive, la demoiselle d'honneur, les avait-elle suivis dans l'avion ? On demanda à sœur Gertrude qui écoutait la radio si elle avait entendu quelque chose. À la radio, on ne disait rien. On écrivit à tous ceux et surtout à toutes celles qu'on connaissait dans la capitale. On mit bout à bout les bribes de l'histoire. Ce que l'on retint comme vrai, c'est que le Président avait bien eu l'intention d'offrir l'une de ses filles au couple royal de Belgique. Il avait eu pitié du roi sans descendance, il offrait de bon cœur une de ses filles pour sauver le lignage. Il espérait qu'ainsi les Belges seraient toujours, comme ils l'avaient été à l'indépendance, aux côtés du peuple majoritaire. Il entrait dans la famille : pour l'honneur de leur enfant commun, on ne le laisserait pas tomber. Mais le roi et la reine n'avaient pas compris. Il y a des choses que les Blancs ne comprendront jamais. Les Belges avaient répondu que, bien sûr, la fille du Président pourrait faire ses études en Belgique. Cela allait de soi. Mais pour le don d'un enfant, ils faisaient semblant de ne pas entendre, de ne pas comprendre. La fille du Président était restée là, et Godelive aussi.

— J'avais raison, dit Goretti, tout cela ce n'étaient que des histoires. Godelive est tellement idiote qu'elle avait fini par croire à ses propres mensonges.

— On verra bien ce qu'elle va raconter quand elle reviendra, dirent prudemment les autres.

Godelive ne revint jamais au lycée. Elle était trop humiliée pour avoir la force d'affronter les moqueries de ses camarades. Elle alla quand même en Belgique. Son père lui trouva un pensionnat chic. On dit que la mère supérieure y fut pour quelque chose.

Le nez de la Vierge

— Modesta, dit Gloriosa, as-tu bien observé le visage de la Vierge ?

— Laquelle ?

— Celui de la statue de Notre-Dame du Nil.

— Et alors ? C'est vrai qu'il n'est pas comme celui des autres Marie. Il est noir. Les Blancs l'ont maquillé en noir. C'était sans doute pour nous faire plaisir à nous les Rwandais, mais son fils, à la chapelle, lui, il est resté blanc.

— Mais tu as remarqué son nez ? C'est un petit nez tout droit, le nez des Tutsi.

— Ils ont pris une Vierge qui était blanche, ils l'ont peinte en noir, ils ont gardé le nez des Blancs.

— Oui, mais à présent qu'elle est noire, c'est le nez d'une Tutsi.

— Tu sais, à cette époque, les Blancs et les missionnaires étaient du côté des Tutsi. Alors une Vierge noire avec un nez Tutsi, pour eux, c'était plutôt bien.

— Oui, mais, moi, je ne veux pas d'une Sainte

Vierge avec un nez de Tutsi. Je ne veux plus prier devant une statue qui a le nez d'une Tutsi.

— Qu'est-ce que tu veux qu'on y fasse ! Tu crois que la mère supérieure ou Monseigneur, si tu vas leur demander, vont changer la statue. À moins que tu n'en parles à ton père...

— Bien sûr que j'en parlerai à mon père... D'ailleurs il m'a dit qu'on allait détutsiser les écoles et l'administration. Cela a commencé à Kigali et à l'université à Butare. Nous, on va d'abord détutsiser la Sainte Vierge, je vais lui rectifier le nez, il y en a quelques-unes qui comprendront l'avertissement.

— Tu veux casser le nez à la statue ! Quand on saura que c'est toi qui as fait ça, quand même, tu risques de te faire renvoyer.

— Penses-tu, j'expliquerai à tout le monde pourquoi je devais le faire : c'est un geste politique et ils vont plutôt me féliciter et puis avec mon père...

— Bon, alors, comment tu vas faire ?

— Ce n'est pas difficile : on casse le nez de la statue et on lui colle un nouveau nez. Un dimanche, on ira chez les Batwa, il y en a à Kanazi. On prend de l'argile, bien préparée, bien foulée, celle avec laquelle ils fabriquent les pots, et on lui modèlera un nouveau nez à Marie.

— Et le nouveau nez, tu le colleras quand ?

— On ira la nuit, la veille du pèlerinage et, le lendemain, tout le monde verra le nouveau nez de Notre-Dame du Nil. Un vrai nez de Rwandais, celui du peuple majoritaire. Tout le monde appréciera. Même la mère supérieure. Pas besoin de lui expliquer. Ou plutôt si, c'est moi qui leur expliquerai. J'en connais qui baisseront la tête, qui essaieront de cacher leur petit nez. Toi la première, Modesta, avec le nez de ta mère. Mais tu vas m'aider puisque tu es mon amie.

— Gloriosa, j'ai peur. Tu auras quand même des ennuis et moi, surtout si je t'aide.

— Mais non, je te dis, nous sommes des militantes. Ce que nous allons faire est un acte militant et, avec mon père, personne n'osera dire quelque chose. Ils seront bien obligés de changer la statue, d'en mettre une autre, une vraie Rwandaise celle-là, avec un nez majoritaire. Tu verras, le parti nous félicitera. On sera des femmes politiques. On finira par devenir ministres.

— Toi sans doute, mais moi ça m'étonnerait !

Le projet de Gloriosa tracassait Modesta. Elle espérait que son amie n'y penserait plus, qu'elle l'aurait bien vite abandonné. Dans un mois, ce serait le pèlerinage, d'ici là, Gloriosa aurait sans doute tout oublié. Ce qu'elle avait dit, c'était pour rire, pour parler, pour passer le temps, parce que c'est tellement monotone au lycée Notre-Dame-du-Nil, qu'il vous vient parfois des idées bizarres. Il y en a qui s'imaginent qu'un professeur blanc est tombé amoureux d'elles, qu'il va les emmener, les enlever, parce que en classe il ne regarde qu'elles, elles partiront avec lui dans l'avion, dans le Sabena, d'autres qui disent que la Vierge leur parle la nuit et elles écrivent sur un petit carnet ce que Marie leur a dit, il y en a qui se prennent pour les reines d'autrefois, on ne doit pas les toucher, elles sont si précieuses, si fragiles, toujours prêtes à s'évanouir, d'autres disent qu'elles vont mourir parce qu'on les a empoisonnées, on les a empoisonnées parce qu'elles sont trop belles, plus belles que toutes les autres, les jalouses les poursuivent de tous les maléfices, elles ne peuvent rien manger, le poison est partout. Ce sont de mauvaises idées qui tournent, qui cognent dans la tête des filles, parfois elles y restent, parfois elles s'en vont. Modesta espère que la mauvaise idée de Gloriosa s'en est allée comme tant d'autres.

Le dimanche suivant, à la sortie de la messe, Gloriosa dit à Modesta :

— Dépêche-toi, on va aller à la source. Je veux repérer les lieux. Il faut voir comment on peut grimper jusqu'à la cabane de la Vierge du Nil. Il faut qu'on sache exactement comment on peut escalader.

— Tu veux toujours faire ce que tu m'as dit ?

— Bien sûr, plus que jamais, et je compte sur toi si tu veux toujours être mon amie.

— Ça me fait peur, soupira Modesta, moi, je n'ai pas ton père… mais je t'aiderai quand même puisque tu me dis que je suis ton amie.

Il pleuvait. Sur la piste, Gloriosa et Modesta dépassèrent quelques femmes qui revenaient de la messe, leur petit banc sur la tête.

— Vraiment, dit Modesta, on habite les nuages.

— Moi, dit Gloriosa, j'aime cette pluie, c'est elle que je voulais et je n'ai pas eu besoin de Nyamirongi pour la faire venir. Il n'y aura personne pour aller prier Notre-Dame du Nil, même celles qui voulaient venir pour lui demander de bonnes notes, elles ne s'y risqueront pas.

Elles dévalèrent le raidillon qui menait à la source, se tordant les pieds dans les ravines, s'accrochant aux arbustes pour ne pas glisser. Elles s'arrêtèrent devant la margelle qui retenait l'eau de la source avant qu'elle ne suive son cours vers son destin de Fleuve. La statue de Marie leur parut bien haute, inaccessible sous son édicule de tôles coincé, on ne sait comment, entre deux gros rochers. Malgré son abri, les saisons des pluies avaient laissé leurs marques sur la statue. Son visage noir était craquelé de sillons blanchâtres et ses mains jointes et ses pieds nus ajourés de taches de la même couleur.

— C'est Notre-Dame des Zèbres, s'esclaffa Gloriosa, tu vois qu'il faut la repeindre ou plutôt la changer, et son nez c'est bien celui d'une Tutsi, mais d'une Tutsi albinos.

— Tais-toi. Ne dis pas des choses comme ça, ça va nous porter malheur.

Elles remontèrent l'éboulis, contournèrent les gros rochers. Ils étaient lisses et luisants. Dans leur anfractuosité, quatre poteaux soutenaient une plate-forme de planches couvertes de mousses et de lichens sur laquelle on avait dressé la niche de la Vierge.

— Tu vois, dit Modesta, c'est trop haut. Il faudrait une échelle.

— C'est toi qui vas être l'échelle. Tu vas me prendre sur tes épaules et je me hisserai en m'accrochant aux planches et, toi, tu me maintiendras et tu me pousseras. On va y arriver.

— Gloriosa, tu es folle !

— Fais ce que je te dis, ne discute pas si tu veux toujours être mon amie.

Modesta s'accroupit au pied de la plate-forme. Gloriosa l'enjamba et s'installa sur ses épaules.

— Allez, lève-toi.

— Je ne peux pas, tu es trop lourde. Et avec ton gros derrière, je ne vois rien.

— Accroche-toi au poteau.

Modesta s'agrippait au poteau et soulevait peu à peu Gloriosa qui l'encourageait : « Vas-y, continue, on y est presque ! »

— Bon, ça y est, dit Gloriosa, j'ai les coudes sur les planches. Attention, je me soulève, tiens bon, j'y suis.

Gloriosa réussit à se glisser dans l'étroit passage entre la roche et la plaque de tôle. Elle parvint à se mettre debout et Modesta la vit disparaître dans la guérite.

— Ça y est, je la touche. Je suis plus grande qu'elle. Tu vois, ce sera facile, un bon coup sur le nez, et hop !

Gloriosa se faufila à nouveau entre la guérite et le roc.

— Attention, cria-t-elle, je saute, retiens-moi.

Gloriosa sauta, s'affala sur Modesta l'entraînant dans sa chute.

— Regarde dans quel état nous sommes, dit
Modesta en se relevant, ma jupe est pleine de
boue et elle est déchirée, là, sur le côté, et mes
jambes sont tout écorchées. Qu'est-ce qu'on va
bien pouvoir dire à la surveillante ?

— On dira qu'on a glissé en allant faire notre
prière à Notre-Dame du Nil. On nous plaindra
et on nous félicitera pour notre piété. Ou plutôt
on dira que ce sont des bandits qui nous ont
attaquées pour nous violer, mais on leur a échappé,
j'aime mieux la deuxième version, nous sommes
des filles courageuses, ce sont des Inyenzi qui
nous ont attaquées, il y en a toujours dans les
montagnes...

— Tu sais bien qu'il n'y a plus d'Inyenzi, les
Tutsi, ils font du commerce à Bujumbura ou à
Kampala.

— Mon père dit qu'il faut répéter sans cesse
qu'il y a toujours des Inyenzi, qu'ils sont toujours prêts à revenir, qu'il y en a qui s'infiltrent,
que les Tutsi qui sont restés les attendent avec
impatience, et même peut-être les moitiés de
Tutsi comme toi. Mon père dit qu'on ne doit
jamais oublier de faire peur au peuple.

Gloriosa estima que pour la vraisemblance de
ce qu'elles raconteraient à la surveillante, mieux
valait attendre la tombée de la nuit avant de
rentrer au lycée. Elles allèrent s'abriter dans la
cabane de berger abandonnée à Remera, en

contrebas de la piste. Elles s'allongèrent sur une litière d'herbes épaisses qui paraissait avoir été renouvelée depuis peu. « Tu vois, dit Gloriosa, la cabane est fréquentée même si le lit est un peu dur pour ce qu'on a à y faire. Je finirai bien par savoir qui s'y donne rendez-vous. » Elle s'étendit sur la litière : « Viens t'allonger contre moi et relève ta robe. Tu sais ce qu'il faut faire pour se préparer au mariage, c'est ce que nos mères ont toujours fait. »

— Qu'est-ce qui vous est arrivé, mes pauvres petites ? s'écria sœur Gertrude quand elle vit Gloriosa et Modesta, leurs vêtements déchirés et couverts de boue.

— On nous a attaquées, dit Gloriosa d'une voix comme brisée par l'émotion, des hommes qui avaient le visage dissimulé par un morceau de tissu sombre, je ne sais combien ils étaient, ils se sont jetés sur nous, ils voulaient certainement nous violer et sans doute nous tuer ensuite, mais on s'est défendues, on a pris des cailloux, on a crié, ils ont entendu un Toyota qui arrivait, ils ont pris peur, ils se sont enfuis… Mais je sais bien qui ils sont, j'ai entendu ce qu'ils disaient, c'étaient des Inyenzi, il y en a toujours, ils se cachent dans la montagne, c'est mon père qui me l'a dit, ils viennent du Burundi, ils sont toujours prêts à nous attaquer quand ils le peuvent et ils ont des complices : les Tutsi d'ici. Il faut prévenir la mère supérieure.

On introduisit les deux lycéennes dans le

bureau de la mère supérieure. Gloriosa fit à nouveau le récit de l'agression mais, dans la nouvelle version, les faits s'étaient considérablement aggravés : le nombre des Inyenzi ne cessait de grossir, c'était le lycée qu'ils s'apprêtaient à attaquer, ils voulaient violer toutes les élèves, ils les tueraient après d'affreuses tortures, les religieuses ne seraient pas épargnées, pas même les Blanches. Modesta se taisait : elle s'efforçait de pleurer et de gémir selon les consignes que lui avait données Gloriosa. « Vite, insistait celle-ci, il n'y a pas un instant à perdre, nous sommes toutes en danger, les Inyenzi sont tout près, ils sont partout. »

La mère supérieure prit les décisions qui s'imposaient. Elle réunit le père Herménégilde, la sœur Gertrude, la sœur intendante en conseil de guerre. Elle dépêcha le frère Auxile et son camion à la commune, il reviendrait avec le bourgmestre et les deux gendarmes. Elle rassembla les lycéennes dans la chapelle et le père Herménégilde, sans trop leur expliquer pourquoi, fit alterner cantiques et dizaines de chapelet. La sœur intendante distribua aux boys les couteaux de cuisine, dont elle nota soigneusement le nombre sur son petit carnet, et prit le commandement de la brigade qui montait la garde au portail du lycée. La nuit était tombée. La sœur intendante décida de distribuer à tous les biscuits qu'elle avait réservés pour le prochain pèlerinage. Dans la chapelle, malgré l'entêtement du père Herménégilde à relancer cantiques et chapelets, les rumeurs finirent par l'emporter. On chuchotait que le Président avait été assassiné, que les Inyenzi avaient traversé le lac, que les Russes leur avaient donné des armes monstrueuses, qu'ils allaient tuer tout le monde, même les jeunes filles, après les avoir violées... Beaucoup pleuraient, certaines demandaient à l'aumônier de les confesser, quelques-unes espéraient, on ne sait trop pourquoi ni comment, qu'elles échapperaient au massacre sinon au viol.

On entendit le camion du frère Auxile. Les gardiens soupçonneux (ils craignaient que le camion ne soit tombé dans une embuscade) ouvrirent lentement le portail malgré le klaxon impatient du boy-chauffeur. On vit avec soulagement que le frère Auxile ramenait non seulement le bourgmestre et les deux gendarmes et leurs fusils, mais aussi une vingtaine de militants armés de machettes.

Le conseil de guerre se réunit à nouveau dans le bureau de la mère supérieure : y participaient la mère supérieure, le bourgmestre, la sœur intendante, le père Herménégilde qui avait laissé les lycéennes sous la surveillance de la sœur Gertrude. Gloriosa fut invitée à y assister en tant que témoin et victime. Elle refit pour le bourgmestre le récit de l'agression : les prétendus Inyenzi étaient toujours plus nombreux et plus violents, elle remonta sa robe jusqu'au haut de ses cuisses pour montrer à tous les nombreuses égratignures qui les sillonnaient. Modesta, toujours muette et cette fois véritablement en pleurs, fut conduite à

232

l'infirmerie, sœur Angélique veillerait sur elle. Le bourgmestre déclara qu'il avait pu joindre le préfet qui, lui-même, avait alerté le camp militaire. Le colonel allait envoyer d'urgence cinquante soldats commandés par le lieutenant Gakuba. En attendant, on disposerait les militants aux points stratégiques et on enverrait au petit centre commercial une patrouille de militants conduite par un gendarme. On autorisa les lycéennes à regagner les dortoirs et à se mettre au lit, mais sans se déshabiller, avait dit la mère supérieure.

On attendit. La nuit était particulièrement obscure et la montagne silencieuse. La patrouille revint du petit village. Elle n'avait réveillé que quelques chiens dont les aboiements plaintifs ou furieux mirent longtemps à s'apaiser. Peu après minuit, arrivèrent deux camions remplis de militaires. Ceux-ci prirent aussitôt position autour du lycée. Le jeune lieutenant qui les commandait conféra dans le grand bureau avec la mère supérieure et le bourgmestre. Gloriosa refit son récit : elle ajouta cette fois qu'elle avait cru reconnaître la voix d'un de ceux qui les avaient attaquées, elle n'en était pas tout à fait sûre, mais cela pouvait bien être celle de Jean Bizimana, le fils de Gatera, le Tutsi qui tenait une petite boutique au marché. Le lieutenant dit que les Tutsi étaient toujours complices des Inyenzi, il ne faisait aucun doute que les bandits qui étaient venus de l'étranger étaient maintenant cachés chez eux. Il allait envoyer des patrouilles pour perquisitionner leurs enclos, les militants leur serviraient de guides. On allait tout de suite arrêter Jean Bizimana. « Avec les Inyenzi, dit le lieutenant, il ne faut jamais perdre de temps. »

Les opérations décidées par le lieutenant furent promptement menées. Les chefs des patrouilles revinrent, au bout d'une heure, faire leur rapport au lieutenant en présence de la mère supérieure, du bourgmestre et de Gloriosa qui avait refusé d'aller se reposer dans la chambre d'hôte qu'on lui proposait, la plus belle pourtant, celle de Monseigneur. Jean Bizimana avait été arrêté sans opposer de résistance au milieu des cris, des pleurs de ses parents, de ses frères, de ses sœurs. Les militaires l'avaient interrogé avec la vigueur nécessaire afin qu'il dénonce ses complices. Il n'avait rien avoué. On allait l'expédier dans la grande prison, dans le nord du pays. « Il y a peu de chances qu'on le revoie traîner dans ma commune », dit le bourgmestre en riant.

Les militaires avaient fouillé les rares enclos encore habités par des Tutsi. Ils avaient consciencieusement éventré les greniers, brisé les cruches, questionné tous les occupants, même les enfants. En vain. Les Inyenzi avaient déjà déguerpi sans demander leur reste. « Eh bien, dit le lieutenant, deux filles courageuses ont réussi à les mettre en fuite. Dommage quand même qu'on n'en ait pas pris quelques-uns. Mais c'est une bonne opération : il faut toujours rappeler aux Tutsi qu'ils ne sont que des cafards, des Inyenzi, au Rwanda. »

Gloriosa occupa la chambre de Monseigneur pendant quelques semaines, jusqu'au pèlerinage, avait-elle demandé. On n'avait rien à refuser à une fille qui avait montré tant de courage et que le père Herménégilde, dans un de ses sermons, avait comparée à Jeanne d'Arc. Les exploits des deux lycéennes, surtout ceux de Gloriosa, furent célébrés jusqu'aux plus hautes instances du parti. « Deux lycéennes héroïques mettent en fuite de dangereux criminels venus semer le désordre dans le pays », titrait le journal. Gloriosa était devenue l'héroïne qui avait sauvé le lycée et peut-être le pays tout entier. Les religieuses et les professeurs multipliaient les égards pour lui adresser la parole : autour d'elle, la cour de camarades empressées s'était considérablement agrandie, mais certaines évitaient pourtant de bavarder trop longtemps avec elle de peur de commettre elles ne savaient quel impair. Seule Goretti gardait ses distances et, devant celles qui lui restaient fidèles, se permettait, à mots couverts, d'émettre quelques doutes sur l'authenticité des exploits de Gloriosa.

Modesta espérait que, dans la crainte de compromettre sa célébrité usurpée, Gloriosa renoncerait à son projet de mutiler la statue de Notre-Dame du Nil, mais, pendant le cours de sœur Lydwine, celle-ci lui souffla : « N'oublie pas, dimanche, on va chez les Batwa. »

Une dizaine de petites huttes ébouriffées, éparses dans une bananeraie clairsemée, constituait le village des Batwa. Sur un terre-plein bien aplani, un grand cercle noirâtre marquait l'emplacement du foyer où les poteries étaient cuites quelques jours avant le marché. Tout autour, s'élevaient, comme de petites pyramides écroulées, des monticules de tessons.

À l'approche des deux jeunes filles, une nuée d'enfants nus, aux ventres blanchis de traînées d'argile, gonflés comme des petits ballons, s'enfuirent en hurlant. Le village semblait vide, étrangement silencieux. En parcourant les sentiers qui menaient aux huttes, elles finirent par découvrir une femme qui modelait un pot. D'un fond de poterie brisée sur lequel reposait l'argile, elle faisait peu à peu surgir, en superposant les colombins, le ventre lisse et arrondi d'une marmite. La potière, toute à sa tâche, ne leva pas les yeux quand Gloriosa et Modesta s'approchèrent d'elle. Elles toussotèrent pour attirer son attention. La femme, sans interrompre son travail ni les dévisager, finit par grommeler : « Si c'est pour acheter un pot, il n'y en a pas encore. Ils sèchent. Venez au marché, j'y suis toujours. Vous m'achèterez tous les pots que vous voudrez. »

Peu à peu, les enfants qui s'étaient enfuis à l'approche des lycéennes sortaient de leurs cachettes, ils s'approchaient d'elles, les entouraient, les serraient de près, essayaient de les toucher. Des adultes, des hommes barbus, des femmes jacassantes, se mêlaient peu à peu aux enfants. « Dis-leur de s'éloigner, dit Gloriosa à la potière en serrant les plis de sa jupe, je ne veux pas qu'ils me touchent. — Écartez-vous », dit celle-ci, tandis qu'un vieillard à barbiche blanche, surgi d'une hutte, repoussait de son bâton les plus hardis. Il vint s'asseoir auprès de la potière. Gloriosa expliqua ce qu'elle voulait : un morceau d'argile qu'avait demandé au lycée le professeur. La potière et le vieillard semblaient ne pas comprendre. Gloriosa répéta sa demande.

— Tu veux être potière, dit le vieillard en riant aux éclats, tu veux faire comme nous, les Batwa. Es-tu une mutwa ? Tu es bien grande pour une mutwa !

— Donne-moi un de tes boudins d'argile, insista Gloriosa, je te le paierai le prix d'un pot entier, d'une cruche, d'une grande cruche.

La femme et le vieillard réfléchirent un long moment, se concertèrent à voix basse, considérant de temps en temps Gloriosa et Modesta d'un air moqueur.

— Deux cruches, finit par dire la potière, deux grandes cruches à bière, c'est le prix et tu auras ton boudin. Vingt francs, c'est vingt francs.

Gloriosa lui tendit un billet de vingt francs que la potière froissa immédiatement en boule et enfouit dans le nœud de son pagne. Elle appela un enfant qui alla cueillir une touffe d'herbes. Elle tressa une sorte de filet dans lequel elle enveloppa un des colombins avec lesquels elle montait sa poterie.

— Tiens, dit-elle, mais ne va dire à personne

ce que tu as là-dedans. On dirait que tu es deve-nue une mutwa.

Gloriosa et Modesta s'éloignèrent le plus vite qu'elles le purent du village, suivies jusqu'à la piste par une foule hilare qui criait, chantait et dansait.

Quand elles se retrouvèrent enfin seules, Glo-riosa ouvrit l'enveloppe d'herbes et contempla longtemps le colombin d'argile.

— Regarde, dit-elle, il y a bien de quoi recti-fier le nez de toutes les Vierges du Rwanda !

— Dans ce sac, dit Gloriosa, j'ai tout ce qu'il faut pour ce soir.

Gloriosa ouvrit le sac et Modesta vit qu'il contenait un marteau, une lime et une lampe torche.

— Comment as-tu eu ça ?

— C'est Butici, le petit mécano, qui les a em-pruntés pour moi dans l'atelier du frère Auxile.

— Tu lui as donné de l'argent ?

— Pas la peine. Il sait qui je suis. Il est trop content de me rendre un petit service.

— Et comment on va sortir du lycée, la nuit ?

— Tu viens me rejoindre dans ma chambre d'hôte, puisque, toi, on t'a remise au dortoir. On ne te refusera pas cela. D'ailleurs, c'est moi qui le demanderai. Derrière le bungalow des hôtes, il ne sera pas difficile de sauter le mur, j'ai repéré l'endroit où il y a une brèche.

— Tu veux toujours faire ce que tu as dit ?

— Plus que jamais ! Maintenant que je suis

une héroïne, et toi aussi d'ailleurs, on dira que c'est encore un de nos exploits, et c'en est un, crois-moi.

— Tu sais bien que tout ça repose sur tes mensonges.

— Ce ne sont pas des mensonges, c'est de la politique.

« On partira quand tout le monde sera endormi », avait dit Gloriosa. Elles attendirent que le lycée se soit enfoncé dans le sommeil et dans la nuit. Il y eut d'abord le brouhaha des lycéennes qui gagnaient les dortoirs, le murmure de la dernière prière qu'elles récitaient avant de se mettre au lit. La sonnerie de la cloche, le grincement du portail qui se fermait donnèrent le signal du couvre-feu. Une demi-heure plus tard, le ronronnement du groupe électrogène s'éteignit. Les gardiens, leur lance ou leur machette à la main, firent leur dernière ronde, puis s'enroulèrent dans leur couverture au pied du portail et, malgré les consignes, finirent par s'endormir. Aucune lampe ne brillait plus à la fenêtre du bureau de la mère supérieure. « C'est le moment, dit Gloriosa, on y va. »

Elles escaladèrent sans difficultés le mur, au fond du jardin, et s'enveloppèrent dans leur pagne. « Tiens, tu portes mon sac, dit Gloriosa à Modesta, moi, je passe devant. » Elles hésitèrent au bord de la piste. La nuit avait effacé les repères familiers. On aurait dit que les montagnes s'étaient gonflées d'épaisses ténèbres qui avaient comblé jusqu'à la trouée vertigineuse au fond de laquelle on apercevait parfois le lac.

— On va se perdre, dit Modesta, allume ta lampe.

— C'est trop dangereux. Il y a peut-être encore des patrouilles de militaires ou de militants. Je leur ai fait tellement peur avec mes Inyenzi.

Elles réussirent en tâtonnant à suivre la piste et parvinrent au parking qui surplombait la source. Le sentier qui y descendait avait été aplani et empierré sans doute en prévision du pèlerinage. Gloriosa alluma la torche. Elles contournèrent les gros rochers. Elles eurent la surprise de constater qu'une échelle était appuyée contre la plate-forme. « Tu vois, dit Gloriosa, la chance est avec nous, c'est le signe que nous accomplissons un acte patriotique : les jardiniers qui sont venus nettoyer la guérite et mettre des fleurs pour la décorer ont laissé l'échelle. »

Gloriosa monta sur la plate-forme et, munie du marteau, de la lime, du boudin d'argile et de la lampe torche que lui avait tendus Modesta, se glissa devant la statue et buta sur les vases de fleurs qui tombèrent dans le bassin où était retenue l'eau de la source. Manquant de perdre l'équilibre au bord de la plate-forme, Gloriosa assena sur le nez de la Vierge un coup de marteau d'une telle violence que la tête de la statue vola en éclats. Elle redescendit précipitamment de la plate-forme et annonça à Modesta qui tremblait de froid et d'inquiétude :

— J'ai cassé la tête de Marie, impossible de lui refaire le nez. Mais, au moins, on sera bien obligé de changer la statue.

— Qu'est-ce qu'on va devenir ? Quel horrible péché ! gémit Modesta, si on s'aperçoit un jour que c'est nous qui avons fait ça…

— Tu es toujours inquiète, Modesta, moi je sais déjà ce que je vais faire.

Dès les premières lueurs du jour, le lycée s'était empli d'une joyeuse effervescence. C'était le grand jour, celui du pèlerinage ! On reprit le nouvel uniforme, celui qu'on avait étrenné pour la visite de la reine, mais sur le boléro on avait décousu l'écusson aux couleurs de la Belgique pour le remplacer par celui fourni par le père Herménégilde, sur lequel étaient brodés les cœurs enlacés de Jésus et de Marie.

Le rassemblement se faisait dans la cour, devant la chapelle, chaque classe derrière la bannière que les lycéennes avaient brodée pendant les cours de couture depuis la rentrée. Le père Herménégilde venait les bénir et le frère Auxile distribuait les feuillets stencilés de ses nouveaux cantiques. La sœur intendante comptait les boîtes de sardines, de corned-beef, de fromage Kraft, de confitures qu'elle empilait dans de grands paniers que les boys hissaient sur leur tête. Le silence se fit quand la mère supérieure apparut sur le perron de la chapelle, accompagnée du bourgmestre, des deux gendarmes, le fusil sur l'épaule, et suivie de tous les professeurs. Elle fit un petit discours, rappelant l'histoire de Notre-Dame du Nil, recommandant à toutes la plus grande piété et, se tournant vers le bourgmestre, déclara qu'on demanderait cette année plus spécialement à la Vierge noire de faire régner la paix et la concorde sur les mille collines de ce beau pays.

Le cortège s'ébranla, franchit la barrière que gardaient les militants, suivit la piste au long de la crête, descendit le sentier et se disposa, classe par classe, sur le versant face à la source. Soudain, un cri d'effroi retentit : la Vierge n'avait plus de tête ou plutôt ce qui en restait ressemblait à une poterie brisée. On avait fracassé le visage de la Madone et les tessons parsemaient la plate-forme. Des fleurs flottaient sur l'eau du bassin qui, l'un des vases ayant obstrué le déversoir, menaçait de déborder la margelle.

— Sacrilège, sacrilège ! s'écria la mère supérieure.

— C'est l'œuvre du diable, renchérit le père Herménégilde qui multiplia les gestes de bénédiction en guise d'exorcisme.

— Sabotage, grommela le bourgmestre qui s'élança aussitôt derrière les rochers et dont on vit bientôt le bras au-dessus de la statue décapitée tenant dans la main une boule noirâtre.

— Une grenade ! hurla un professeur blanc qui se mit aussitôt à courir sur le sentier, entraînant ses collègues qui escaladèrent la pente avec une agilité qu'on ne leur avait jamais soupçonnée.

Un des gendarmes épaula son fusil et tira vers

le bas du vallon dans les fougères arborescentes sous lesquelles coulait le ruisseau.

La panique s'empara des lycéennes. Elles se bousculèrent, se piétinèrent, coururent sur la piste en une débandade que les injonctions, les supplications, les objurgations de la mère supérieure empêtrée dans sa longue robe, du père Herménégilde retroussant sa soutane, du bourgmestre haletant ne parvinrent pas à freiner. Celui-ci brandissait la boule noirâtre en criant : « Ce n'est rien, ce n'est rien, c'est de l'argile. » Les boys avaient abandonné les grands paniers de provisions dont ils avaient la charge et les boîtes de conserve dévalèrent le versant au grand désespoir de la sœur intendante qui dut bien vite renoncer à les poursuivre.

Tous les fuyards se retrouvèrent dans la cour du lycée. On reprit son souffle. « À la chapelle », ordonna la mère supérieure. Quand chacune eut trouvé sa place sur les bancs, elle prit la parole :

— Mes filles, vous avez été témoins de l'horrible sacrilège. Des mains impies, je ne veux pas savoir lesquelles, ont attenté au doux visage de Marie, notre protectrice, Notre-Dame du Nil. C'est à nous qu'il revient d'expier ce crime contre Dieu. Nous jeûnerons, aujourd'hui nous n'aurons pour toute nourriture que des haricots à l'eau. Que Dieu pardonne à celui ou à ceux qui ont commis un tel péché.

On vit alors Gloriosa sortir de la rangée des bancs et s'avancer vers les marches de l'autel.

Elle dit quelques mots à l'oreille du bourgmestre qui s'approcha de la mère supérieure. Ils discutèrent longtemps à voix basse. Enfin, la mère supérieure, qui semblait un peu contrainte, finit par déclarer :

— Gloriosa a quelque chose à vous dire.

Gloriosa monta sur la plus haute marche devant l'autel. Elle parcourut du regard ses camarades, fixant quelques-unes d'un sourire narquois ou satisfait. Dès qu'elle prit la parole, sa voix retentissante les fit sursauter :

— Mes amies, ce n'est pas en mon nom que j'ai demandé à vous parler, c'est au nom du parti, du Parti du peuple majoritaire, que je vous adresse ces quelques mots. Notre Révérende Mère supérieure a dit qu'elle ne voulait pas savoir qui avait brisé la tête de Notre-Dame du Nil mais, nous, nous le savons bien : ceux qui ont commis ce crime, ce sont nos ennemis de toujours, les bourreaux de nos pères et de nos grands-pères, les Inyenzi. Ce sont des communistes, des athées. C'est le diable qui les mène. Comme en Russie, ils veulent brûler les églises, tuer les prêtres et les religieuses, persécuter tous les chrétiens. Ils s'infiltrent, ils sont partout, j'ai même peur qu'il y en ait ici, parmi nous, dans notre lycée. Mais j'ai confiance en monsieur le bourgmestre et en nos forces armées, ils sauront faire leur travail. Moi, ce que je voulais vous dire, c'est que nous aurons bientôt une nouvelle statue de Notre-Dame du Nil, qui sera une vraie Rwandaise, avec le visage du peuple majoritaire, une Vierge hutu dont nous serons fières. Je vais écrire à mon père. Il connaît un sculpteur. Dans peu de temps, nous aurons une Notre-Dame du Nil authentique à l'image des femmes rwandaises que nous pourrons prier sans détour, qui veillera sur notre Rwanda. Mais notre lycée, vous le savez, est encore rempli de parasites, d'impuretés, d'immondices qui le rendent indigne d'accueillir la véritable Notre-Dame du Nil. Il faut nous mettre sans tarder au travail. Il faut tout nettoyer jusqu'au moindre recoin. C'est un travail qui ne doit rebuter personne. C'est le travail des vraies militantes. Voilà tout ce que je voulais vous dire. Maintenant, chantons l'hymne national.

Toutes les lycéennes applaudirent et le bourgmestre entonna le chant que tout le monde reprit en chœur :

Rwanda rwacu, Rwanda Gihugu Cyambyaye
Ndakuratana ishyaka n'ubutwari
Iyo nibutse ibigwi wagize kugeza ubu,
nshimira abarwanashyaka
bazanye Republika idahinyuka
Twese hamwe, twunze ubumwe dutere imbere ko...

Rwanda, notre Rwanda qui nous as donné le jour,
Je te célèbre, ô toi, courageux et héroïque.
Je me souviens des épreuves nombreuses que tu as traversées
Et je rends hommage aux militants,

Ceux qui ont fondé une République inébran-
  lable.
Ensemble, à l'unisson, allons, allons de l'avant...

— Tu vois, dit Gloriosa à Modesta en rega-
gnant son banc, ici, je suis déjà la ministre.

L'école est finie

Durant le mois qui suivit l'attentat contre la statue de Notre-Dame du Nil, les activités du lycée se concentrèrent sur la préparation de l'accueil triomphal que l'on devait réserver à la nouvelle et authentique Madone du Fleuve. L'ancienne fut retirée sans ménagement de sa niche. On ne savait trop qu'en faire. La détruire était peut-être dangereux, car on redoutait la vengeance de Celle qu'on avait si longtemps vénérée et à qui on avait adressé tant de prières. On finit par la reléguer sous une bâche dans la maisonnette qui abritait le groupe électrogène au fond du jardin. On soupçonna longtemps la vieille sœur Kizito d'aller, se traînant sur ses béquilles, faire de temps en temps une prière devant celle qu'elle avait vu ériger au-dessus de la source avec tant de solennité et de ferveur.

Gloriosa triomphait. Avec la bénédiction militante et l'aide efficace du père Herménégilde, elle s'était autoproclamée présidente du Comité pour l'intronisation de l'authentique Notre-Dame du Nil. Ils occupaient à eux deux la bibliothèque dont ils avaient fait leur quartier général et qui était désormais interdite d'accès sans leur autorisation. Le téléphone, jusque-là réservé au seul bureau de la mère supérieure, y avait été installé. Gloriosa n'allait plus que très rarement en cours. En compagnie du père Herménégilde, elle n'hésitait pas à interrompre les autres classes pour adresser, en kinyarwanda, de courtes allocutions en forme de slogans à double entente. Elle s'était spectaculairement réconciliée avec Goretti en l'accueillant parmi les membres du bureau du comité. Mais Goretti, tout en approuvant et en encourageant l'activisme de Gloriosa, avait refusé le poste de vice-présidente que celle-ci lui offrait et affichait devant les autres lycéennes une prudente réserve. La mère supérieure ne sortait plus guère de son bureau et, si elle en sortait, affectait de ne pas voir le désordre qui régnait dans son établissement. Quand le père Herménégilde venait, par un respect de la hiérarchie qui dissimulait mal un soupçon d'insolence, lui rendre compte des activités du comité, la mère supérieure se contentait de répondre :

— Bien, bien, mon père, vous savez ce que vous faites, le Rwanda est un pays indépendant, indépendant… mais n'oubliez pas, nous avons la charge d'un lycée de jeunes filles, seulement de jeunes filles…

Et elle se plongeait dans les registres d'inventaire qu'elle avait demandés à la sœur intendante pour vérification, sous prétexte de prévoir la rentrée prochaine.

Gloriosa et le père Herménégilde partirent en mission pour quelques jours à Kigali et à Butare. Une grosse Mercedes, mise à leur disposition par le père de Gloriosa, vint les chercher au lycée. À leur retour, ils réunirent en hâte le bureau du comité, informèrent la mère supérieure et convoquèrent pour une réunion générale élèves et professeurs dans la grande salle d'étude. Gloriosa laissa d'abord la parole au père Herménégilde. Celui-ci révéla qu'avec l'appui des plus hautes instances du gouvernement et du parti l'intronisation de la nouvelle et authentique Notre-Dame du Nil serait l'occasion d'un rassemblement de l'élite de la Jeunesse militante rwandaise, les JMR, qui, au même moment, dans tout le pays, continuaient la glorieuse révolution sociale de leurs parents. Des collégiens, des étudiants viendraient donc jusqu'à Nyaminombe en minibus. On en attendait une cinquantaine, choisis parmi les meilleurs éléments de la jeunesse militante. On dresserait des tentes fournies par l'armée sur le terre-plein au-dessus de la source, car il n'était évidemment pas question d'héberger des garçons au sein même du lycée, auprès des jeunes filles. La cérémonie serait à la fois religieuse et patriotique. Il acheva son discours en kinyarwanda, proclamant que la jeunesse rwandaise ferait serment à Notre-Dame du Nil, qui représentait désormais les vraies

Rwandaises, de toujours se souvenir des siècles de servage où les avaient plongés des envahisseurs arrogants, de défendre les acquis de la révolution sociale, de combattre sans relâche ceux qui à l'extérieur mais surtout à l'intérieur restaient les ennemis implacables du peuple majoritaire. Gloriosa, toujours en kinyarwanda, ajouta que le lycée Notre-Dame-du-Nil ne tarderait pas à suivre l'exemple des courageux militants qui s'étaient levés dans les écoles et les administrations pour débarrasser le pays des complices des Inyenzi. Les lycéennes de Notre-Dame-du-Nil, l'élite féminine du Rwanda, sauraient se montrer dignes du courage de leurs parents et, elle, Nyiramasuka, elles pouvaient en être sûres, digne de son nom.

Toute la salle applaudit. Seul M. Legrand osa émettre une timide objection :

— Mais avec toute cette fête, comment va-t-on finir le programme ? Ne risque-t-on pas de se voir refuser l'homologation et de perdre ainsi toute une année ?

Le père Herménégilde lui répondit avec une courtoisie appuyée que les professeurs étrangers et amis n'avaient pas à s'inquiéter, tout cela ne les concernait en aucune façon. Le lycée Notre-Dame-du-Nil, qui est considéré comme le meilleur du pays, n'avait rien à redouter, comme chaque année, il serait couronné par l'homologation nationale de son examen de fin d'année.

— Virginia, cela approche, tu t'en rends bien compte. Ce n'est pas parce qu'on est dans un lycée de privilégiées qu'on va y échapper. Au contraire. Nous sommes leur plus grosse erreur. Ils ne vont pas tarder à la corriger. Gloriosa a tout manigancé pour cela : l'histoire des Inyenzi fantômes, l'attentat contre la statue, la nouvelle madone des Hutu. Tout est prêt. On n'attend plus que le rassemblement des JMR. Et ils ne vont pas venir en chantant des cantiques à la gloire de Marie, ils vont venir avec des gros bâtons, des massues, peut-être avec des machettes, pour honorer leur Notre-Dame du Nil. Je suppose que les nouvelles ont bien compris ce qui allait nous arriver. Mais s'il y en a encore qui s'accrochent à leurs illusions parce qu'elles n'en reviennent pas d'avoir été admises dans le lycée des futures femmes de ministre, il faut les prévenir. Discrètement. Il est trop dangereux de se regrouper. Imagine le complot : une réunion de Tutsi ! Et quand ce sera le moment de nous enfuir, il faudra le faire chacune de son côté pour brouiller les pistes. Il y en a qu'on attrapera mais quelques-unes, je l'espère, réussiront à s'échapper.

— Écoute, dit Virginia, moi, je ne quitterai pas le lycée sans mon diplôme. Renoncer si près du diplôme, jamais. Si tu savais ce qu'il représente pour ma mère, les rêves qu'elle a bâtis sur ce morceau de papier. Et puis je pense à toutes celles qui étaient aussi douées et peut-être plus que nous et que le fameux quota a exclues. Elles

ont dû se résigner à devenir de simples paysannes, des pauvres paysannes pour toute leur
vie. C'est un peu pour elles que je veux ce
diplôme même si, au Rwanda, il risque de ne pas
servir à grand-chose. Après tout, ce n'est pas la
première fois qu'on nous menace, c'est notre
lot quotidien. Attendons le diplôme et, s'il faut
partir, je trouverai bien un moyen.

— Je n'en suis pas certaine. Tu sais que, dans
tout le pays, on a lancé la chasse aux fonction-
naires et aux étudiants tutsi. Bientôt ce sera le
tour du lycée Notre-Dame-du-Nil, pourquoi y
échapperait-on ? L'épuration finira en beauté
par le lycée de l'élite féminine. Tu sais ce qui
nous attend. As-tu oublié ce que nous avons déjà
subi et ce qu'on nous promet tous les jours ? En
1959, la moitié de ma famille s'est réfugiée au
Burundi, trois de mes oncles ont été tués, en
1963, mon père ne l'a pas été — à Kigali, ils ne
tuaient pas autant qu'ils l'auraient voulu à cause
des gens des Nations unies — mais il a été mis
en prison avec beaucoup d'autres, on l'a battu
autant qu'on a pu et quand on l'a relâché, parce
que le Président voulait montrer aux Blancs
combien il était pacifique, on lui a fait payer une
grosse amende, on a saisi le camion et le taxi
qu'il possédait et, surtout, on l'a obligé à signer
un papier où il reconnaissait qu'il était un espion
et un complice des Inyenzi. Mon père a peur, le
papier est toujours à la Sûreté. À cause de ça, on
va peut-être le tuer aujourd'hui.

— Si on tue nos parents, il vaut mieux qu'on

nous tue aussi. Tu sais ce qui est arrivé quand on s'est réfugiés à la mission ? Il y avait beaucoup d'orphelins, leurs pères et leurs mères venaient d'être massacrés. Eh bien, le préfet est venu dire qu'il y avait des familles hutu qui étaient prêtes à en adopter, il employait des grands mots devant les missionnaires : charité chrétienne, solidarité civique et, quand mon père les répète, il se met en colère et ma mère se met à pleurer. Alors, ils se sont partagé les orphelins : les garçons, ceux qui pouvaient travailler dans leurs champs, et les jeunes filles, elles, elles ont eu beaucoup de succès, tu devines pourquoi ! Quand les JMR arriveront comme l'a promis Gloriosa, et on sait pour quoi faire, il sera toujours temps de nous cacher, et d'essayer de rejoindre nos familles et de passer ensuite au Burundi.

— Moi, j'irai chez Fontenaille, il me défendra, il ne me laissera pas aux mains des violeurs et des assassins : pour lui, je suis Isis, et d'ailleurs personne ne sait, à part toi, que je vais chez lui.

— En es-tu bien sûre ? Personne ne t'a suivie ? Tu n'as rien dit à Modesta ? Parfois j'ai des doutes : pourquoi aime-t-elle tant nous parler à nous les Tutsi en se cachant de sa grande amie, parce qu'elle l'est à moitié ou pour nous espionner ? La pauvre, pourquoi se compliquer ainsi la vie ?

— Je ne sais pas. C'est difficile à dire. Elle a peut-être deviné quelque chose. Elle me demande souvent ce que je fais le dimanche et, en riant, elle fait des allusions au vieux fou de Blanc qui aime tant dessiner les belles Tutsi.

— Méfie-toi. Même si sa mère est tutsi, tu sais bien de quel côté elle sera toujours.

— Mais, Virginia, si vraiment il faut nous enfuir, comment fera-t-on ? Le lycée, on ne voit que lui à Nyaminombe. Il est cerné de partout. Je suis certaine que le bourgmestre, ses policiers et les militants le surveillent déjà de près. Et le jour où il le faudra, ils dresseront des barrages sur la piste. Ce n'est pas en Toyota, même déguisée en vieille paysanne, que tu quitteras Nyaminombe. Et à l'intérieur du lycée, ne compte sur personne. La mère supérieure s'est déjà enfermée dans son bureau pour ne rien voir. Les professeurs belges continueront imperturbablement leurs cours. Les Français, même s'ils nous témoignaient un peu de sympathie et, semble-t-il, à cause de notre physique, obéiront aux consignes de leur ambassade : pas d'ingérence, pas d'ingérence ! Quand les tueurs se jetteront sur nous, certains diront : en Afrique, ça a toujours été comme ça, des tueries de sauvages auxquelles il n'y a rien à comprendre et, même si certains se cloîtrent dans leur chambre pour pleurer, leurs larmes ne nous sauveront pas. Mais moi, j'ai un espoir, c'est Fontenaille. Tu sais qu'il a envoyé mes portraits en Europe, on m'y connaît. Il me répète qu'on m'y attend. Il ne peut pas me laisser tuer devant lui sans rien faire. Viens avec moi. Tu es aussi sa reine Candace. Il doit sauver sa déesse et sa reine.

— Je n'irai pas me cacher chez ton Blanc. C'est étrange, je n'ai pas peur, c'est comme si j'étais sûre que je m'en sortirai, comme si quelqu'un, quelque chose m'en avait fait la promesse.

— Qui donc ?

— Je ne le sais pas moi-même.

Virginia décomptait les jours qui conduisaient inexorablement les lycéennes tutsi vers un destin qu'elle jugeait inévitable. Il ne faisait pas de doute que le scénario du père Herménégilde allait se réaliser point par point. Mais elle ne parvenait pas à chasser du fond d'elle-même la certitude, et cela la troublait, qu'elle y échapperait. En attendant, Gloriosa s'était rendue maîtresse absolue du lycée. Elle régnait aussi sur le réfectoire. Sur la petite estrade, la table, d'où sœur Gertrude et les surveillantes présidaient et surveillaient le repas, restait vide. Gloriosa déclara qu'elle ne voulait plus ouvrir la bouche devant des Inyenzi. Désormais elles mangeraient après les vraies Rwandaises. On prendrait soin de leur laisser le quota de nourriture que le peuple majoritaire concédait encore à des parasites. Toutes les autres tablées suivirent son exemple. Gloriosa décréta aussi que personne ne devait plus adresser la parole aux Tutsi-Inyenzi, qu'il fallait les empêcher de communiquer entre elles. Les vraies militantes les auraient toujours à l'œil et lui rapporteraient tous les faits et gestes qui leur paraîtraient suspects. Virginia remarqua cependant qu'Immaculée s'arrangeait toujours pour être la dernière à quitter la table et à laisser discrètement une bonne part de sa portion.

Virginia ne pouvait plus, ne voulait plus dormir. Elle guettait les bruits, elle attendait avec angoisse le grincement du portail, le ronflement des moteurs, le crissement des pneus qui annonceraient l'irruption des tueurs. Il y aurait ensuite la violence des cris, des vociférations, le martèlement des chaussures cloutées dans l'escalier, l'affolement de la fuite…

Virginia souhaitait que cela arrive la nuit. Elle pensait qu'il lui serait ainsi plus facile de semer ses poursuivants dans les couloirs du lycée, de gagner le jardin par l'escalier qui menait à la cuisine, de sauter le mur, de courir, de courir vers la montagne… Après elle ne savait plus ce qui arriverait. Elle ne parvenait pas à l'imaginer. Il fallait en tout cas que ce soit par une nuit sans lune.

Les images de sa fuite, toujours les mêmes, défilaient sans arrêt dans la tête de Virginia, mais, une nuit, elle ne put résister au sommeil et elle fit un rêve qui, au réveil, renforça encore cette vague certitude d'être épargnée qu'elle était incapable d'expliquer. Elle se voyait errant dans le labyrinthe d'un immense enclos, comme on en construisait pour les anciens rois. Sous les faisceaux de bambous qui encadraient l'entrée d'une cour, il y avait un homme, jeune, très grand, dont les traits du visage lui parurent d'une beauté sans défaut et qui l'attendait. « Tu ne me reconnais pas, lui dit-il, et pourtant tu es venue chez moi, tu ne reconnais pas Rubanga l'umwiru ? » Il lui tendit un grand pot à lait : « Va porter cela à la reine, elle l'attend, elle t'attend. » Virginia reprit son chemin entre les hautes clôtures imbriquées et finit par déboucher sur une vaste cour où des jeunes filles très belles dansaient au rythme nonchalant d'une chanson qui lui rappela une des berceuses que préférait sa mère. La reine sortit de la grande hutte. Son visage était dissimulé sous une voilette de perles. Virginia s'agenouilla devant elle et lui tendit le pot à lait. La reine but avec une lenteur délectable, remit le pot à lait à l'une de ses suivantes et s'adressa à Virginia : « Tu m'as bien servie, Mutamuriza, tu es ma préférée. Regarde, voici ta récompense. » Virginia vit que deux bergers conduisaient vers elle une génisse toute blanche. « C'est pour toi, dit la reine, elle s'appelle Gatare, retiens bien son nom, Gatare. »

Virginia fut brusquement réveillée par le grincement du portail. Elle sursauta. Les tueurs ? La sonnerie du réveil la rassura. Cette journée commençait comme toutes les autres. Le souvenir de son rêve envahit sa pensée. Elle s'y réfugia et se sentit enveloppée d'une invisible protection. Elle répéta comme une invocation le nom de la vache de son rêve : « Gatare, Gatare. » Elle aurait souhaité rester à jamais dans son rêve.

La nouvelle statue de Notre-Dame du Nil arriva dans une camionnette bâchée. Elle fut aussitôt entourée par un attroupement de lycéennes. Mais elles furent bien déçues. La statue était enfermée dans une caisse en bois que les boys hissèrent sur leurs épaules, sous les recommandations angoissées du père Herménégilde, et transportèrent dans la chapelle. L'aumônier s'y enferma avec Gloriosa et en interdit l'entrée. On entendit les coups de marteau des boys qui démantelaient la caisse. « Elle est belle, dit Gloriosa en sortant de la chapelle, très belle, vraiment noire, mais personne ne doit la voir avant que le lycée soit digne de l'accueillir et que Monseigneur la bénisse. » Les lycéennes se précipitèrent quand même à l'intérieur de la chapelle et ne virent, devant l'autel, qu'une forme incertaine, enveloppée dans un immense drapeau rwandais.

Virginia chercha en vain Veronica. Elle n'était pas en cours, elle ne se présenta pas non plus au réfectoire. Les terminales faisaient comme si elles n'avaient pas remarqué la disparition de leur camarade. Seule Gloriosa dit assez haut pour que Virginia l'entende : « Ne vous inquiétez pas, Veronica n'est pas loin, je sais qu'il y en a parmi nous qui savent où elle se trouve, moi, je le sais aussi et de source sûre », ajouta-t-elle, en regardant Modesta. En montant au dortoir, dans la bousculade de l'escalier, Modesta réussit à glisser quelques mots à Virginia : « Surtout, ne cherche pas à aller chez le vieux Blanc, trouve autre chose mais surtout n'y va pas. »

Toute la nuit, Virginia se demanda comment prévenir Veronica. En voyant arriver la statue, puisque c'était son seul plan, elle était allée se réfugier chez Fontenaille, mais ce n'était plus un secret pour personne, tout le monde connaissait sa cachette. Elle retint ses larmes de douleur et de rage afin que nul ne puisse lui dire le matin en riant : « Tu vois, malgré ton joli nom, on a réussi à t'arracher quelques larmes. »

Un désordre grandissant avait beau envahir le lycée, les professeurs assuraient toujours leurs cours comme à l'accoutumée. Les horaires, la présence et la ponctualité des enseignants étaient les seuls points du règlement que la mère supérieure parvenait encore à faire respecter, à condition de fermer les yeux sur les absences répétées de certaines élèves. Durant son cours, M. Legrand demanda qu'on aille lui chercher les cahiers qu'il avait ramassés pour contrôle et qu'il avait laissés dans son casier dans la salle des professeurs. Immaculée devança toutes les autres. À son retour, elle distribua les cahiers. Virginia trouva dans le sien un petit carré de papier. Elle lut : « Quand les JMR vont arriver, il paraît que c'est pour demain, ne prends pas la fuite comme les autres. Essaie de monter au dortoir, va dans ma chambre et attends-moi. Aie confiance en moi, je t'expliquerai. Détruis ce billet, avale-le s'il le faut. Immaculée Mukagatare. »

Virginia lut et relut le petit morceau de papier qui tenait dans le creux de sa main. Le plan d'Immaculée était peut-être ingénieux, mais devait-elle lui faire confiance ? Immaculée n'était pas vraiment son amie. Bien sûr, elle ne faisait pas partie de la bande à Gloriosa. Elle paraissait se moquer de la politique et surtout de Gloriosa. Elle semblait ne s'intéresser qu'à sa beauté. Alors pourquoi prendre tant de risques pour sauver une Tutsi ? Se cacher dans sa chambre, c'était se livrer entièrement entre ses mains. Et que ferait-elle ensuite ? Mais il y avait le nom d'Immaculée, son vrai nom, celui que lui avait donné son père, Mukagatare. Gatare, était-ce cela qu'avait voulu indiquer son rêve, Gatare, ce qui est blanc, ce qui est pur ? Le sentiment d'être sous une invisible protection la saisit à nouveau. Oui, elle suivrait le plan que lui proposait Immaculée, Mukagatare, qu'avait-elle à perdre ?

Cela se passa à peu près comme Virginia l'avait imaginé. Deux minibus franchirent en trombe la grille et stoppèrent net face au perron de la grande entrée. Des jeunes gens, de très jeunes gens, en descendirent brandissant de gros gourdins. Aussitôt les lycéennes tutsi se précipitèrent dans les couloirs en une fuite éperdue. Les autres élèves se lancèrent à leur poursuite mais sans parvenir à les rattraper. Virginia vit qu'une classe était vide. Elle y entra et se cacha sous le bureau du professeur. La troupe des poursuivantes passa en criant. Quand elle se fut assurée que le couloir était désert, Virginia ne put s'empêcher de jeter un coup d'œil par la fenêtre qui donnait sur la cour. Elle aperçut Gloriosa qui communiquait ses directives à celui qui semblait être le chef des militants. Elle n'eut pas de peine à comprendre le plan que Gloriosa avait élaboré : les élèves repoussaient leurs camarades tutsi vers le jardin où les attendrait la bande des JMR et leurs gourdins. Virginia entrouvrit la porte de la classe. Il n'y avait plus personne dans le couloir. Elle s'y engagea prudemment. Dans les classes vides, les professeurs belges étaient restés à leur bureau cherchant manifestement quelle pouvait être en pareil cas la bonne contenance. Les professeurs français s'étaient rassemblés et étaient plongés dans une discussion passionnée. Virginia, comme protégée par un halo de calme, monta l'escalier qui menait au dortoir sans rencontrer personne et gagna la chambre d'Immaculée. Elle s'assura qu'en cas de danger elle pourrait se glisser sous le lit. Elle attendit, guettant le moindre bruit. Des cris, des hurlements montaient de derrière le bâtiment, du jardin, pensa-t-elle en tremblant. Bientôt elle entendit des pas, elle se jeta sous le lit.

— Tu es là ? demanda Immaculée.

— C'est toi ? Immaculée, que veux-tu faire de moi ?

— Ce n'est pas le moment de t'expliquer. Écoute plutôt. Tu as un pagne sur le lit, enveloppe-toi dedans. Tu vas aller te cacher chez Nyamirongi, la faiseuse de pluie. J'ai tout prévu. J'ai envoyé Kagabo pour le lui demander. D'après Kagabo, la faiseuse de pluie a accepté sans difficulté. Personne ne viendra te chercher là. J'enverrai Kagabo quand il y aura une voiture pour nous prendre, je t'emmènerai au besoin dans le coffre de la voiture. Dépêche-toi. Kagabo t'attend, tu n'as rien à craindre de lui, je lui ai donné assez d'argent et puis les sorciers n'aiment pas se frotter aux autorités. Je passe devant pour te prévenir s'il y a un danger.

Au marché, avait dit Immaculée, il t'attend au marché. À cette heure de l'après-midi, le marché était terminé depuis longtemps. Quelques chiens étiques disputaient aux corbeaux et aux vautours les modestes tas de détritus. Derrière une barricade de vieilles touques rouillées, elle entendit un discret : « Yewe, viens par là. » Elle découvrit Kagabo accroupi auprès d'un fagot de bois sec. Il l'examina d'un air moqueur.

— Ton pagne est bien trop neuf pour jouer la paysanne, donne-moi ça.

Il se leva, prit le pagne, le chiffonna vigoureusement, et le traîna dans la poussière et le delta de ruisselets fétides qui sillonnaient le sol.

— Bon, ça va aller, enlève tes chaussures et approche-toi.

Il prit le visage de Virginia entre ses mains rougies de terre, lui frotta durement les joues et lui tendit un morceau de tissu crasseux pour couvrir ses cheveux.

— Voilà, maintenant tu es maquillée en vraie

paysanne. Prends ce fagot, mets-le sur ta tête et marche lentement, lentement, comme une vraie paysanne. Il n'y a pas grand-chose à craindre, tout le monde a peur, ils ne comprennent pas ce qui se passe, ils n'osent pas sortir, les commerçants ont fermé boutique. Et puis je te protège, il ne fait pas bon s'approcher d'un empoisonneur !

Quand Virginia pénétra sous la hutte enfumée, elle ne vit que le jeu changeant d'ombres et de clartés que faisaient et défaisaient les flammes du foyer. Du réduit d'obscurité au pied de la voûte de paille tressée que n'éclairait pas le feu central, lui parvint une faible voix :

— Te voilà, Mutamuriza, je t'attendais, approche-toi.

Virginia se dirigea vers le fond de la hutte et distingua enfin la silhouette d'une vieille femme enroulée et encapuchonnée dans une couverture de couleur brune d'où émergeait un visage tout plissé de rides qui rappela à Virginia celui des petits singes qui, chez sa mère, venaient piller le champ de maïs.

— Approche-toi, n'aie pas peur, je savais que tu allais venir, ne va pas croire que c'est Kagabo qui m'a avertie de ta venue, je le savais bien avant lui et même avant celle qui l'a envoyé pour me demander de t'accueillir. Je sais qui t'envoie à moi et c'est pour Elle que j'ai accepté de t'accueillir.

— Nyamirongi, comment te remercier ? Tu

me sauves la vie et je n'ai rien à te donner en échange. J'ai abandonné au lycée tout ce que j'avais. Mais sans doute Kagabo t'a remis ce que mon amie voulait te donner pour moi.

— Il me l'a apporté. Mais je n'en ai pas voulu. Ce n'est pas pour ton amie que je fais cela, elle n'a donc pas à me payer. Si j'accueille la préférée de Celle qui est de l'autre côté de l'Ombre, c'est qu'Elle m'accordera aussi ses faveurs, je le sais.

— Tu vois donc dans mes rêves ?

— J'ai vu une génisse blanche et Celle qui te l'a donnée mais, moi, je ne les ai pas vues en rêve, je les ai vues quand les esprits m'ont transportée de l'autre côté de l'Ombre. Tu es la préférée des Ombres, sois la bienvenue chez Nyamirongi.

Virginia s'installa auprès de Nyamirongi. Elle lui préparait chaque jour sa bouillie de sorgho. Nyamirongi semblait apprécier. Virginia constata que le grenier, derrière la hutte, était bien rempli. Nyamirongi ne devait pas manquer de « clients ». Quand la nuit était tombée, elle s'accroupissait auprès du feu, tendait son bras droit, pointait son index à l'ongle très long vers les quatre directions, puis le repliait sous sa couverture en se contentant de hocher la tête en grommelant quelques mots que Virginia ne parvenait pas à saisir. Une semaine s'écoula. Virginia était de plus en plus inquiète. Que s'était-il passé au lycée ? Qu'était devenue Veronica ? Et toutes les autres ? Quelques-unes, elle s'efforçait d'y croire, avaient-elles pu s'échapper ? Immaculée l'avait-elle oubliée, l'avait-on dénoncée ? Cachée derrière un rocher, Virginia passait ses journées à guetter le versant qui descendait jusqu'au lycée.

Mais un soir, le bras de Nyamirongi, l'index et son grand ongle se mirent à trembler et elle dut pour le replier s'aider de son bras gauche. Elle regarda Virginia, les yeux brillants :

— La pluie me dit qu'elle s'en va, elle laisse la place, ainsi qu'elle le doit, au temps poussiéreux. Et elle me dit aussi qu'en bas, au Rwanda, la saison des hommes a changé. Mais elle me dit encore de ne pas t'y fier : ceux qui croiront au temps calme, la foudre les surprendra. Ils seront frappés, ils périront. Tu vas bientôt me quitter. Demain, pour toi, je tirerai les sorts.

Nyamirongi réveilla Virginia avant l'aube et ranima le feu en jetant une petite bûche sur les braises.

— Viens, il faut tirer les sorts avant que le jour se lève. Avec le soleil, les esprits ne répondent plus.

Elle prit un grand van et sortit d'un petit sac d'étoffe de ficus sept osselets.

— Le mouton nous a donné ses os pour connaître le destin. Ne le mange pas.

Elle ferma les yeux et jeta les neuf osselets sur le grand van. Elle rouvrit les yeux et contempla longtemps, sans rien dire, la constellation qu'avait dessinée les osselets.

— Que vois-tu ? demanda Virginia, un peu inquiète.

— Tu vas partir très loin du Rwanda. Tu apprendras les secrets des Blancs. Et tu auras un fils. Tu l'appelleras Ngaruka, « Je reviendrai ».

— Regarde, dit Kagabo, ton amie t'attend, là, dans la voiture.

La portière arrière de la Land Rover s'ouvrit et Virginia vit Immaculée qui lui faisait signe de monter : — Viens vite. On rentre. Pas la peine de te cacher, mais ne te fais pas trop remarquer quand même.

— Je ne comprends pas, dit Virginia, explique-moi ce qui se passe.

— Nyamirongi parle avec les nuages, mais elle n'a pas de transistor. Il y a eu un coup d'État. L'armée a pris le pouvoir. L'ancien Président est en résidence surveillée. Dès qu'ils ont appris la nouvelle, les militants se sont engouffrés dans leurs minibus et sont repartis à toute vitesse. C'est sœur Gertrude qui écoute toujours la radio qui a annoncé la nouvelle. On ne sait pas où est le père de Gloriosa, peut-être en fuite, peut-être en prison. Tout le monde s'est retourné contre Gloriosa, on s'est mis à l'injurier. C'était elle qui avait tout manigancé : les troubles, les violences… À cause d'elle, le diplôme de fin des Humanités risquait de ne pas être homologué. Toute l'année scolaire serait perdue. Tout ça, par la faute de cette ambitieuse dont le père était maintenant peut-être en prison. Goretti a fait un long discours. Elle a obligé Gloriosa à l'écouter : c'étaient maintenant les vrais Hutu qui avaient pris le pouvoir pour sauver le pays, ceux qui avaient résisté à toutes les colonisations, à celle des Tutsi, des Allemands, des Belges, ceux qui avaient été contaminés par les manières des Tutsi feraient mieux de se mettre à parler le kinyarwanda véritable, celui qu'on a conservé au pied des volcans. Tout le monde à présent comprenait Goretti sans difficultés et certaines s'efforçaient même d'imiter sa façon de parler. Une voiture de l'armée est venue chercher Gloriosa, on ne sait pas ce qu'elle est devenue. Mais je ne suis pas trop inquiète pour elle, avec une pareille ambition, Gloriosa, Nyiramasuka ! elle a encore de l'avenir en politique. On la reverra. Elle parviendra à ses fins. Et puis, la mère supérieure est venue annoncer que les grandes vacances étaient avancées de huit jours, les ambassades avaient replié leurs coopérants sur la capitale, le lycée devait fermer ses portes, elle avait averti les parents de venir chercher leurs filles, elle avait loué des minibus pour celles qu'on ne pourrait venir chercher. Le père Herménégilde a dit que l'intronisation de la nouvelle Notre-Dame du Nil était reportée à la rentrée, on en profiterait pour célébrer l'unité nationale. Moi, j'ai pu prévenir mon père, il a envoyé son chauffeur, allez, on démarre.

— Et les autres, au lycée, que sont-elles devenues ? Elles ont pu s'échapper ? Quoi ! on les a tuées ?

— Je ne crois pas. Pas toutes en tout cas. Tu

sais, à part Gloriosa, il n'y en avait pas beaucoup qui avaient vraiment envie de tuer de leurs mains leurs camarades. Les chasser du lycée, ça, oui, elles étaient d'accord pour penser que les Tusi n'y avaient pas leur place. Quand je suis revenue dans la cour, c'est ce genre de discours que tenait le père Herménégilde aux militants : « Chassez ces Tutsi du lycée, mais il n'est pas nécessaire de vous salir les mains. Vous en attrapez quelques-unes et vous leur donnez de bons coups de bâton, cela leur fera passer le goût des études. Elles périront dans la montagne, de froid, de faim, dévorées par les chiens errants et les bêtes sauvages, et celles qui survivront et réussiront à passer la frontière, elles seront obligées de vendre ce corps dont elles sont si fières au prix d'une tomate sur le marché. La honte, c'est pire que la mort. Remettons-les au jugement de Dieu. » À mon avis, beaucoup ont pu se sauver, elles ont trouvé du secours dans les missions auprès de quelques vieux missionnaires blancs qui ont gardé la nostalgie du temps où les Tutsi étaient leurs fidèles préférés ou elles ont pu rencontrer des prêtres tutsi chassés des paroisses qui les ont protégées : ils ont peut-être réussi ensemble à passer la frontière. Et même les paysans, ils ne sont pas tous prêts à assassiner des jeunes filles instruites pour des histoires d'école qui ne les concernent pas. Elles sont maintenant à Bujumbura, à Bukavu ou ailleurs. Je n'ai pas entendu parler de morts, s'il y en avait eu parmi les lycéennes, Gloriosa n'aurait pas manqué de s'en vanter. Mais toi et Veronica, Gloriosa voulait vraiment vous tuer, elle ne supportait pas l'idée de vous voir à ses côtés le jour de la remise solennelle des diplômes.

— Et Veronica, où est Veronica ? Qu'est-ce qui est arrivé à Veronica ?

— Je ne sais pas. Ne me pose pas cette question.

— Mais si, tu le sais.

— Je ne veux pas te le dire.

— Tu vas me le dire. Tu me le dois.

— J'ai honte de te le raconter, ça me fait peur, à présent j'ai peur de tous les hommes, je sais que chaque être humain cache en lui quelque chose d'horrible. Même mon petit ami, je ne veux plus le voir : il m'a écrit qu'il était fier de s'être conduit en bon militant, d'avoir frappé les Tutsi de son établissement, il ne sait pas s'il en a tué, mais il espère qu'avec les coups qu'il a donnés, il y en a qui resteront infirmes. Je ne veux plus le voir. Tu veux quand même savoir ce qu'on a fait de Veronica ? Alors écoute-moi, mais ne pleure pas devant moi, tu es Mutamuriza, celle qu'on ne doit pas faire pleurer. Si tu pleures, cela me portera malheur.

« Donc, quand les JMR ont fini d'expulser les Tutsi, Gloriosa leur a dit : "Il en manque deux : l'une, je sais où elle est, mais l'autre, elle doit se cacher dans le lycée, il faut la trouver et, pour elle, je veux que vous alliez jusqu'au bout du travail. Je veux la voir pleurer toutes les larmes de son corps, Mutamuriza ! Il faut, nous les étu-

diants, qu'on nous prenne au sérieux !" Ils t'ont
cherchée partout, ils ont fouillé tout le lycée. Tu
étais déjà loin, bien sûr. Gloriosa était furieuse.
Elle s'est jetée sur Modesta qui la suivait comme
toujours comme son chien. Elle s'est mise à l'injurier : "Sale bâtarde, c'est toi qui as averti
Virginia, qui lui as dit de s'enfuir, c'était ton
amie, ta véritable amie, tu étais son espionne
auprès de moi, je vais te punir comme le para-
site que tu es, qui s'est trop longtemps attachée
à moi pour me tromper. Décidément, tu es bien
la fille de ta mère. Tu ne m'as donné que la
moitié des Inyenzi, eh bien, moi, je vais faire nettoyer ta moitié tutsi qui t'a poussée à me trahir."
Elle a appelé trois militants. Les militants ont
traîné Modesta dans une classe. On a entendu
des pleurs, des supplications, des cris, des gémissements. Cela a duré un bon moment. Puis on a
vu Modesta qui se traînait jusqu'à la chapelle en
essayant de couvrir son corps ensanglanté des
lambeaux de son uniforme. Alors Gloriosa a
appelé tous les militants, elle leur a dit : "Il y a
une autre Inyenzi, une vraie, encore plus dange-
reuse, elle se prend pour la reine des Tutsi. Je
sais où elle s'est réfugiée. Pas bien loin. Chez un
vieux Blanc. Celle-là, il ne faut pas la manquer.
Le Blanc est le complice des Inyenzi, sa plantation de café, il en a fait leur repaire, une base
pour attaquer le peuple majoritaire, il a recruté
des jeunes Tutsi, il les entraîne comme des com-
mandos. En attendant, il invoque le diable et sa
Tutsi, elle s'appelle Veronica, il en a fait sa dia-

blesse, ils commettent ensemble des choses abo-
minables comme la reine Kanjogera qui, d'après
mon père, tuait quatre Hutu chaque matin pour
se mettre en appétit. Elle danse devant le diable.
Il faut en finir avec ces démons. Faites vite."

« Une vingtaine de militants sont partis dans
un des minibus avec un militant de Nyaminombe
pour leur servir de guide. Ils sont revenus à la
nuit tombée. Ils étaient très excités, ils criaient :
"On les a eus ! On les a eus !" Ils se sont jetés sur
les bouteilles de Primus. Gloriosa a demandé au
chef de raconter ses exploits. Il ne s'est pas fait
prier. Il a dit qu'ils avaient d'abord envahi la
villa. Il n'y avait personne. Ils ont cassé tous les
meubles. Ils sont allés dans le jardin. C'est là
qu'ils ont vu la chapelle du diable. Ils sont
entrés. Il y avait, peinte sur les murs, toute une
procession de filles tutsi complètement nues en
train d'adorer, sur le mur du fond, la grande
diablesse, celle-là, une vraie Tutsi, qui avait sur la
tête un chapeau avec les cornes du démon. Au
pied, il y avait une espèce de trône et, sur le
trône, le chapeau à cornes de la diablesse. Ils
ont entendu du bruit derrière la chapelle. Ils
ont couru. Le Blanc et la Tutsi essayaient de se
cacher dans le petit bois de bambous. Le Blanc
avait un fusil mais il n'a pas eu le temps de s'en
servir. Ils lui ont tous sauté dessus et l'ont
assommé. Ils ont pris Veronica. Ils l'ont ramenée
dans la chapelle. Le chef des militants a dit
qu'elle ressemblait tout à fait à la diablesse
peinte sur le mur. Ils l'ont déshabillée et ils l'ont

forcée à coups de bâton à danser toute nue devant l'idole à sa ressemblance, puis ils l'ont attachée sur le trône. Ils lui ont mis le chapeau sur la tête. Ils lui ont écarté les jambes. Je ne te dirai pas ce qu'ils ont fait avec leurs bâtons ni comment ils l'ont achevée. Ils sont allés ensuite brûler l'enclos que ce fou de Blanc avait fait construire sur son domaine, ils n'ont pas trouvé les Inyenzi que Fontenaille avait recrutés, ils s'étaient enfuis depuis longtemps, mais ils ont abattu les vaches et les ont brûlées aussi. Le chef des militants a brandi le chapeau avec les cornes. Il était encore fou de rage. "Voilà, a-t-il hurlé, la couronne de la reine des Inyenzi, le chapeau du diable, mais à présent c'est fini pour elle, elle a eu le châtiment qu'elle méritait et il continuera en Enfer. Je regrette qu'on n'ait pas tué toutes les autres mais j'espère qu'on les retrouvera un jour."

« Le lendemain, le bourgmestre est allé avec ses policiers et des militants pour arrêter Fontenaille et lui signifier son ordre d'expulsion. Ils l'ont retrouvé pendu dans sa chapelle. Ils ont dit qu'il s'était suicidé. Si c'est les JMR qui l'ont tué, ils ne s'en sont pas vantés. Tuer un Blanc, c'est toujours délicat pour le gouvernement. Toutes les filles qui avaient écouté le chef des militants tremblaient, certaines pleuraient, pourtant il fallait applaudir. "Vous voyez, dit Gloriosa, le dieu des Tutsi, c'est Satan !" Moi, ces histoires de diableries, je n'y crois pas, ce sont encore des mensonges de Gloriosa. Ce que l'on a fait à Veronica est horrible. Maintenant j'en suis certaine, il y a un monstre qui sommeille en chaque homme : au Rwanda, je ne sais qui l'a réveillé. Mais dis-moi, qu'est-ce qu'elle faisait Veronica chez ce Fontenaille, ils tournaient un film ? Elle qui aimait tant le cinéma… Tu dois le savoir, toi, Virginia, tu étais sa meilleure amie, tout le monde sait qu'elle ne te cachait rien.

— Je ne sais pas. Ne me dis plus rien, ne me demande rien si tu ne veux pas que je pleure.

Elles restèrent un long moment silencieuses. Interminablement, la piste se faufilait dans d'étroites vallées, escaladait les pentes couvertes d'épaisses bananeraies, suivait les crêtes parsemées de boisements d'eucalyptus, replongeait dans de nouvelles vallées, gravissait de nouvelles pentes… Virginia luttait pour repousser les images d'horreur qui ne cessaient de l'assaillir et retenir ses larmes.

— Immaculée, je te dois la vie, mais je ne comprends toujours pas pourquoi tu as fait tout cela pour moi. Je suis tutsi, je n'étais pas vraiment ton amie…

— Moi, j'aime les défis. Je crois que je tenais plus à la moto qui terrorisait les rues de Kigali qu'à mon petit ami ; je suis allée voir les gorilles parce que je détestais Gloriosa ; je voulais vous sauver, toi et Veronica, parce que les autres voulaient vous tuer, et maintenant je vais défier tous les hommes, je vais chez les gorilles.

— Tu vas vivre chez les gorilles !

— J'ai appris que la Blanche qui veut sauver les gorilles va recruter des Rwandais pour les former comme assistants. J'ai tout ce qu'il faut pour être engagée : je suis rwandaise, intellectuelle, je crois que je suis plutôt belle, mon père est un homme d'affaires bien connu. Je serai une bonne publicité pour elle : elle sera bien obligée de me prendre. Mais toi, qu'est-ce que tu comptes faire ? Tu ne vas tout de même pas abandonner ton diplôme. Tu sais que les militaires ont déclaré qu'ils avaient pris le pouvoir pour rétablir l'ordre. Ils vont calmer ceux qu'ils avaient excités, d'ailleurs, ceux-là, ils ont eu ce qu'ils voulaient : les places des Tutsi. Je demanderai à mon père d'intervenir s'il le faut. J'ai compris pourquoi il m'a si gentiment conduite chez Goretti à Ruhengeri : c'était pour dire à l'état-major qu'il pouvait compter sur son argent. On n'a rien à lui refuser et, à sa fille, il ne refuse jamais rien.

— Je ne veux plus de ce diplôme. Je vais aller chez mes parents pour leur dire adieu. Et je partirai au Burundi, au Zaïre, en Ouganda, n'importe où, là où je pourrai passer la frontière… Je ne veux plus rester dans ce pays. Le Rwanda, c'est le pays de la Mort. Tu te souviens de ce qu'on nous racontait au catéchisme : toute la journée, Dieu parcourt le monde mais, chaque soir, il rentre chez lui au Rwanda. Eh bien, pendant que Dieu voyageait, la Mort lui a pris sa place, quand il est revenu, elle lui a claqué la porte au nez. La Mort a établi son règne sur notre pauvre Rwanda. Elle a son projet : elle est décidée à l'accomplir jusqu'au bout. Je reviendrai quand le soleil de la vie brillera à nouveau sur notre Rwanda. J'espère que je t'y reverrai.

— Bien sûr qu'on se reverra. Rendez-vous chez les gorilles.

DU MÊME AUTEUR

COLLECTION FOLIO

Composition Rosa Beaumont
Impression Novoprint
à Barcelone, le 28 mars 2014
Dépôt légal : mars 2014
1ᵉʳ dépôt légal dans la collection : janvier 2014

ISBN 978-2-07-045631-4./Imprimé en Espagne.